W9-DEE-098

# HOMENAJE A AZORÍN

*Edited by*
CARLOS MELLIZO
*Associate Professor of Spanish*
*University of Wyoming*

**UNIVERSITY OF WYOMING**
Department of Modern and Classical Languages
**1973**

A PUBLICATION OF THE DEPARTMENT OF MODERN AND CLASSICAL LANGUAGES OF THE UNIVERSITY OF WYOMING.



*This edition has been made available for complimentary distribution under the auspices of the Division of Basic Research, College of Arts and Sciences, University of Wyoming.*


Laramie, Wyoming 82071

Printed in the United States of America

# TABLE OF CONTENTS

# FOREWORD

*As students of Spanish literature are well aware, no period in the history of the literature of Spain since the Siglo de Oro has been as productive of great figures and great works as the beginning of the present century and the movement called somewhat inaccurately the Generation of 1898. Indeed, this period in Spanish literature which came to an end with the Spanish Civil War can now be seen as part of a general rebirth of art and literature which took place toward the end of the nineteenth and the beginning of the twentieth century in both Hemispheres. Taken in its entirety, this rebirth can be compared quite favorably with that quickening of human spirit which produced the Renaissance and which, for better or worse, determined the nature of the world in which we live today. It is, of course, a universal movement in which Spain has only a small part. Yet the defeat she suffered in 1898 moved Spain to examine her conscience as she had not done since shortly after the discovery of America when Queen Isabel proclaimed the right of the humble to live in peace undisturbed by the ambitions of the mighty.*

*Although this is a right more abused than respected, it is one which some of us in the atomic age see as the only hope for a future. This principle was rediscovered in our age by the writers of the Generation of 1898. Among these,* Azorín, *"el pequeño filósofo," has more to say perhaps to the young in heart than some of his somewhat more famous associates, more even than Unamuno, or Ortega y Gasset, or Baroja, for these gentlemen were more self-assured, more certain that they were right and the rest of us were wrong than was* Azorín.

*José Martínez Ruiz was so uncertain about his place in the world that he adopted an anagram of his name to shield himself from the attacks he expected, and got, from those who would not accept his view that great art and great accomplishments were not beyond the comprehension of the non-erudite and the non-great. Yet* Azorín *has established the right of all of us to examine the work of an artist and to have a personal reaction to it which leads us to share in the pleasures and disappointments of artistic creation.*

*Many of his critical essays deserve to be read alongside of those masterpieces of literary criticism which Cervantes placed as prologues to Part I and Part II of the* Quijote. *There is no better reason to dedicate this little book to the memory of* Azorín *on the centenary of his birth.*

*The Department of Modern and Classical Languages of the University of Wyoming is pleased to present this* Homenaje a Azorín *to the many admirers of José Martínez Ruiz. We appreciate the generosity of those who have contributed to it. We are particularly indebted to Professor Carlos Mellizo of this department for the many hours which he spent in planning and editing this work. We hope that it will be the first of a series of other scholarly endeavors by our colleagues at the University of Wyoming.*—WILLIAM H. NELLE, *Head.*

# PRESENTACIÓN

Fue José Martínez Ruiz un escritor de las cosas de España. Se aproximó a ellas no con el gesto rutinario del que está de vuelta, sino con el interés profundo de quien visita un mundo nuevo, poblado de infinidad de circunstancias y detalles ocultos bajo la epidermis de lo cotidiano. *Yo amo las cosas,* nos dejó dicho el maestro: *esta inquietud por la esencia de las cosas que nos rodean ha dominado en mi vida.* Tal fue el empeño de Azorín durante sus largos años de escritor infatigable: traspasar el umbral de lo aparente para ir más al fondo y arrancar los minúsculos secretos que formaban el alma de un pueblo.

Amaba Azorín las cosas. Y, con frecuencia, el mejor camino que orienta nuestros pasos hacia lo que amamos consiste en pronunciar su nombre. Atento testigo del marchar del tiempo, y empeñado en la faena de buscar lo permanente, Azorín construyó con su pluma un sólido castillo de sustantivos. Frente a la inestable condición del verbo —que en Azorín, no por azar, suele tener valor de presente— el nombre se alza como roca, al margen de la historia. La España de Azorín es una España inmóvil, bien asentada en los cimientos de algo que no se identifica ni con el pasado ni con el porvenir, sino que los trasciende para configurarse en la España esencial.

No puede haber lección más útil que ésta, a la hora de acercarnos al estudio de toda realidad. Es la lección que nos aconseja sobrevolar el mundo plural y llamativo de lo que pasa, y detenernos en ese otro que se afinca sobre los firmes pilares de lo que Unamuno daba en llamar "la tradición eterna" y que, por estar libre de fronteras, es patrimonio de todos.

Hoy, un siglo después de su nacimiento, el nombre de Azorín alienta todavía gracias a aquella vocación suya por deslindar lo trivial de lo definitivo. Las páginas de su vasta obra siguen despertando en la conciencia del lector atento el calor vital de lo reciente. Reconocer esa auténtica actualidad es la intención de este *Homenaje.*

Los artículos aquí recogidos estudian aspectos diversos de la obra de Azorín, de su persona y de las circunstancias —gentes y situaciones— que rodearon su vida. No es preciso advertir que hemos procurado evitar la tentación de dar al contenido del volumen una unidad de criterio. Varios de los ensayos que lo componen difieren tanto en sus planteamientos como en sus conclusiones. Tratar de eludir esas diferencias hubiese sido una práctica contraria al propósito que desde un principio animó la edición de este libro: reunir en unas páginas la libre opinión de un grupo de escritores y críticos literarios en torno al escritor y crítico literario que fue Azorín.

A todos los colaboradores que tan generosamente se han avenido a participar en este *Homenaje,* nuestro más sincero agradecimiento; y también a don Julio Rajal —titular de la propiedad intelectual de Azorín—, al *College of Arts and Sciences* de la Universidad de Wyoming y a los Profesores William H. Nelle y Wilson J. Walthall, sin cuya ayuda e interés la presente edición no hubiera sido posible.

*C. M.*

# EPILOGO EN 1960

*—'Tis for high treason, quoth a very little man, whispering as low as he could to a very tall man that stood next to him—Or else for murder; quoth the tall man—Well known, Sizeace! quoth I. . . . .*

—Es algún reo de alta traición—dijo lo más bajo que pudo un hombrecillo al oído de un hombre recio.

—O acaso — replicó éste — algún asesino.

—¡Bien acertado, señores!—exclamé yo. . . .

(STERNE: *Tristram Shandy,* cap. CCVIII.)

—¿Qué quiere decir esto de *Azorín?*

Rafael ha cogido un libro del estante, ha leído en el tejuelo: LA BRUYERE, *Les caractères,* y luego, abajo: "Azorín, y se ha vuelto hacia don Pascual para preguntarle qué significa esta palabra.

—Es—dice don Pascual—un escritor que hubo aquí hace cincuenta o sesenta años. Yo no le conocí; pero se lo he oído contar a los viejos.

—¿Era de aquí ese escritor?—pregunta Rafael.

—No sé—contesta don Pascual—; creo que sí; este libro debió de ser de él.

—¿Y cómo lo tiene usted?

—Probablemente él tendría alguna biblioteca que, con el tiempo, se desharía, y este libro vino a parar aquí.

—¿Y dice usted que se llamaba Azorín?

—No; el nombre era otro; esto era un seudómino. Se llamaba. . .

Don Pascual permanece silencioso, absorto un momento, tratando de sacar de los escondrijos de su cerebro el nombre de este escritor; pero no lo consigue.

—No recuerdo—dice al fin, cansado de pensar—; pero este nombre es el que usaba siempre en sus escritos.

Rafael, que es un poco aficionado a la literatura, se queda pensativo.

—Es extraño—dice—. ¿De modo que en este pueblo hemos tenido un escritor?

—Yo creo que tenía antes por aquí uno de los libros que publicó—dice don Pascual.

—¡Hombre!—exclama Rafael—. ¿Conque publicaba libros? Entonces, era un escritor de consideración. . .

Don Pascual se sube a una silla y va registrando los volúmenes del estante. Rafael también se sube a otra silla y revuelve libros grandes y chicos.

De pronto entra don Andrés, se para un momento en el centro del despacho, mira a don Pascual, mira a Rafael, sonríe, da unos golpecitos con el bastón en el suelo, y dice:

—¡Bravo! ¡Bravo! Hoy están ustedes entregados a la literatura. . .

—¡Hola, don Andrés!—dice Rafael.

—Estábamos buscando un libro de aquel escritor que hubo aquí que se llamaba Azorín—añade don Pascual.

—¿Azorín? ¿Azorín?—pregunta don Andrés, que no había oído hablar sino muy vagamente de este personaje—. Sí, sí, un escritor que vivió aquí hace muchos años. Sí, señor; sí, sí. . .

Y da tres o cuatro golpecitos más en el suelo con el bastón.

—¿Usted recuerda, don Andrés, qué libros son los que publicó este escritor?—pregunta don Pascual.

—¿Dice usted libros?—replica don Andrés—. Pero ese Azorín, ¿no fué autor dramático?

—No—contesta don Pascual—; yo aseguraría que fué novelista. Años atrás andaba por aquí un libro de él, que yo le vi leer algunas veces a mi padre; pero debe de haberse perdido.

—Sí, sí—afirma don Andrés—; yo recuerdo haber visto aquí algunas veces ese libro. Su padre de usted decía que él había conocido a Azorín. . .

—Mi padre era de su misma edad—dice don Pascual—; él me decía que había hablado con él muchas veces en el jardín del Casino viejo.

—Pero ¿vivía aquí siempre?—pregunta Rafael.

—No—contesta don Pascual—; su familia sí vivía aquí; pero él pasaba largas temporadas en Madrid, y solía venir al pueblo los veranos.

—Yo tengo idea—observa don Andrés—de que vivía en la calle de la Fuente, en la casa que hace esquina a la del Espejo.

—No, no—contesta don Pascual—; no, él vivía en la calle de los Huertos, en la casa que hoy es de don Leandro.

—No es eso lo que yo le oí a don Frutos, que le trató también mucho—replica don Andrés—. Don Frutos decía que él vivió en la calle de la Fuente, donde hoy vive don Bartolomé, el médico. . .

Don Fulgencio entra.

—¡Caramba!—exclama don Fulgencio—. Les veo a ustedes discutiendo terriblemente.

—¿Usted sabe, don Fulgencio, dónde vivió Azorín?—le pregunta don Pascual.

—¡Orden, orden!—exclama don Fulgencio, asegurándose las gafas sobre la nariz—. Ante todo, ¿se refieren ustedes a un escritor que hubo en este pueblo que se llamaba así?

—Sí, señor—contesta don Pascual—; estábamos aquí diciendo si este Azorín era novelista o autor dramático. . .

—¡Orden, orden!—torna a repetir don Fulgencio—. Conviene no confundir a este escritor que se firmaba así con otro que hubo años después y que escribió algunas obras para el teatro. Yo tengo entendido que Azorín estuvo en algunos periódicos de Madrid y que, además, publicó un libro de versos.

—¿Dice usted de versos?—pregunta Rafael, que ha escrito algunas poesías en un semanario de la provincia.

—Sí, señor, de versos—afirma con una profunda convicción don Fulgencio.

—Entonces, ¿ese libro de versos será el que andamos buscando aquí?

—Perdón—dice sonriendo don Pascual—; yo respeto las opiniones de ustedes; pero creo que el libro que yo he visto años atrás era de prosa.

—No, señor, no—afirma con la misma convicción de antes don Fulgencio—. Ese libro es de versos; yo lo he tenido muchas vaces en mis manos.

—Mire usted, don Fulgencio, que yo me acuerdo muy bien de lo que he visto—se atereve a decir don Pascual.

—¡Caramba!—exclama don Fulgencio, dolido de que se pongan en duda sus palabras—. ¡si estaré yo seguro de que eran versos, cuando llegué a aprenderme algunos de memoria!

Si le aprietan un poco a don Fulgencio, este señor es capaz de hacer un esfuerzo y recitar una poesía de Azorín; pero don Pascual, que le respeta, no llega a ponerle en este trance. Don Pascual se contenta con volverse hacia don Andrés y preguntarle:

—Y usted ¿qué opina? ¿Recuerda usted si era de versos o de prosa el libro de Azorín?

—¡Hombre!—exclama don Andrés, que no quiere disgustar a don Pascual ni ponerse amal con don Fulgencio, y que, en definitiva, no ha visto nunca la obra de Azorín—. ¡Hombre! Yo tengo un cierto recuerdo de que era prosa; pero al mismo tiempo recuerdo también haber oído recitar algo de Azorín, así como versos. . .

Rafael, durante esta breve discusión, ha continuado buscando el libro en los estantes.

—¿No lo encuentra usted?—le pregunta don Pascual.

—No—contesta Rafael—; pero me voy a llevar éste.

Y se guarda un libro en el bolsillo, para desquitarse de este modo de sus pesquisas infructuosas.

Un reloj suena las cuatro.

—¿Adónde vamos esta tarde?—dice don Fulgencio—. ¿A la Solana o al huerto del Herrador?

—Iremos al huerto y veremos cómo marchan los membrillos—contesta don Andrés.

Y todos salen.

*AZORIN*
(1905)

# DOS LIBROS DE AZORIN
## "ESPAÑA CLARA" "ULTRAMARINOS"

por

José Luis Cano

En sus últimos años, Azorín ya no escribía, o escribía muy poco, un breve artículo si acaso, lo que él llamaba, en jerga periodística, un *recuadro,* o unas pocas líneas de compromiso. Pero Azorín, casi jubilado ya en su carrera de escritor —una de las más largas en la historia de nuestra literatura— seguía publicando libros, y cada año asomaba uno, y a veces dos, a las librerías. No se trata de una contradicción, porque esos libros de Azorín no son sino colecciones de artículos olvidados y dispersos en viejos periódicos, salvados del olvido por la paciencia y el fervor de un fiel azoriniano: el escritor José García Mercadal, a quien Azorín autorizó, hace ya años, para realizar esa benemérita tarea. Gracias a las constantes pesquisas de García Mercadal, la bibliografía de Azorín se ha enriquecido con numerosos títulos en los últimos diez o quince años, y cientos de sus artículos han vuelto a la vida desde el reino polvoriento de las hemerotecas. En algún caso, Azorín añadía a la colección reunida por García Mercadal unas líneas prologales, actualizadoras, o un melancólico epílogo.

Poco tiempo antes de su muerte, Azorín pudo tener entre sus ya descarnadas manos dos nuevos volúmenes suyos, que ofrecían esas características. Se llaman esos libros *España clara y Ultramarinos.* El primero es una selección de páginas de Azorín sobre el paisaje, campos y pueblos, de las Españas varias. La mayoría de esas páginas están tomadas de un librito que Azorín publicó en 1917, con el título *El paisaje de*

*España visto por los españoles,* y a pesar del medio siglo transcurrido, releídas ahora, esas páginas no han perdido nada de su encanto. Y no nos avergüenza confesar que, leídas en nuestra juventud, nos ayudaron a comprender y amar el paisaje de España. Quizá más que en ningún otro escritor del 98, el tema de España y su paisaje es central en la obra de Azorín. En el centenar y pico de libros que publicó, más de una docena tienen títulos en los que figura la palabra España. Ningún otro escritor español podría presentar una ejecutoria semejante de su amor hacia las tierras y los pueblos de España. Los textos azorinianos de *España clara* han sido seleccionados por García Mercadal, y han encontrado un ilustrador insuperable en un gran artista de la fotografía, Nicolás Müller, húngaro de nacimiento pero español de adopción, que ha logrado, en frase de Ortega, "tener a la luz domesticada" en sus imágenes fotográficas. El resultado es un regalo a los ojos y al sentir del lector: prosa clara, nítida, de Azorín cantando las bellezas de los paisajes españoles, y resplandor —luces y contraluces— de esos paisajes en las bellas fotografías de Müller[1].

El otro libro de Azorín que quiero glosar en este comentario se titula, ya lo indiqué antes, *Ultramarinos,* y es también una colección de viejas páginas azorinianas. Su título, no sé si puesto por el propio Azorín o por García Mercadal, que ha seleccionado también esas páginas, se explica porque los artículos reunidos en este libro aparecieron originariamente al otro lado del mar, en el diario bonaerense *La Prensa,* en el que colaboró Azorín durante muchos años. Para subrayar esa condición ultramarina de su libro, escribió Azorín, a modo de prólogo, una extraña "Balada de allende el mar", una balada para la América que quiso ver y nunca vió, fechada un año antes de su muerte, el 20 de febrero de 1966. Un mensaje de comprensión para un mundo nuevo, para una vida nueva.

*Ultramarinos*[2] lleva un fino prólogo de Guillermo de Torre, que evoca a Azorín como "un puro escritor, personal, inconfundible como pocos; es decir, idéntico, siempre fiel a sí mismo. . .". Y en estas páginas azorinianas —que su colector ha agrupado en tres secciones: "Letras francesas", "Poetas" y "De teatro" —reconocemos una vez más el estilo inconfundible de Azorín, al que ha sido fiel en sus setenta años de escritor. ¿Es un mérito del escritor que una página suya sea reconocible por el lector a la primera ojeada? ¿No hay el peligro de que el estilo se convierta en cliché, en un quehacer mecánico, que acabe restando frescura a la prosa del escritor? En todo caso, tal es la grandeza y servidumbre del estilo, que libera y ata al mismo tiempo. El estilo es el hombre, se ha dicho mil veces, y el estilo de Azorín es Azorín mismo. Más aún: quienes tuvieron la ocasión de acercarse a Azorín y charlar con él, supieron de su estilo hablado, tan semejante al escrito: frases cortas, pausas, preguntas dirigidas más a sí mismo que al interlocutor.

En la primera parte del libro, *Letras francesas,* nos habla Azorín de Montaigne en páginas deliciosas —uno de sus clásicos predilectos—, de Colette, tan olvidada injustamente hoy, de Jules Romains y Alfonso Daudet, de Gide y Proust. Y en las páginas siguientes, trata Azorín de poesía y poetas. Siempre amó Azorín la poesía, y es sabido que escribió miles de páginas sobre poetas de ayer y de hoy, clásicos y modernos —título de uno de sus viejos libros—, poetas famosos unos, olvidados otros.

En *Ultramarinos,* nos habla Azorín de los *Epigramas americanos* del inolvidable Enrique Díez Canedo, cuya fama, justificada, de exclente crítico —ahí está su libro sobre Juan Ramón Jiménez, sus *Letras de América,* o la serie de sus *Conversaciones literarias*—, ha oscurecido al poeta que también había en él. Hay en esas páginas sobre Díez Canedo un breve canto a la tierra americana que Azorín nunca pisó. "El barco se va acercando a América. El aire ya no es el mismo de antes; hay en el ambiente efluvios y emociones que antes no había. ¿No se perciben ya los puntitos de oro de las luces de Río de Janeiro? Tierra americana. Todas las tierras americanas; las llanuras, los bosques, los ríos, las montanñas. En cortos poemas, tan breves, tan límpidos, tan densos, el poeta ha condensado el espíritu —espíritu del paisaje y espíritu de las gentes de la América española. Y la imaginación del lector, desde España, va expandiéndose —llevado por el poeta Enrique Díez Canedo— por la amada tierra de América." Azorín fecha esta página el 10 de marzo 1929. Y pocos meses después, exactamente el 8 de setiembre de ese año, está fechado otro de los artículos reunidos en *Ultramarinos.* Se titula ese artículo *Tres poetas.* ¿Quiénes son esos tres poetas que llaman la atención de Azorín en 1929? Esta vez, no Lope ni Góngora, Bécquer ni Espronceda, sino tres poetas casi desconocidos en ese momento, tres poetas nuevos, o vanguardistas, como se decía entonces. Esos poetas, hoy famosos, se llaman Pedro Salinas, Jorge Guillén y Rafael Alberti, y los libros que comenta Azorín: *Cántico, Seguro azar, Cal y canto, Sobre los ángeles.* Para Azorín, esos libros son expresión de la poesía pura que entonces dominaba en la lírica española. Y otra nota común que ve en ellos es la sensación intensa de blancura, el blanco resplandor que se desprende de esos libros: un mundo nítido, de albura, de prístina elementalidad.

Otra página curiosa sobre poesía: la que Azorín dedica a glosar una *Antología de la poesía romántica española* que publicó Manuel Altolaguirre en 1934, en la colección Universal de la editorial Espasa Calpe, cuyos breves tomitos, asequibles al bolsillo de los estudiantes, saciaron la sed de lectura de los jóvenes universitarios en los años de la Segunda República. Como en toda antología —pleito eterno éste de las antologías— faltan en ésta de Altolaguirre, según Azorín, algunos nombres, no de los grandes románticos, sino de los románticos menores —tan necesarios, y a veces más sugestivos, que los primeros—. Por ejemplo, Azorín echa de menos a Augusto Ferrán, el gran amigo de Bécquer, "el delicado, olvidado, fino y melancólico Augusto Ferrán".

Cientos y cientos de páginas ha escrito Azorín sobre los poetas. Leed, si no, sus libros, preciosos libros, de crítica y evocación literarias: *Clásicos y modernos, Los valores literarios, Al margen de los clásicos, Leyendo a los poetas, Madrid, El paisaje de España visto por los españoles,* y tantos otros. Hace unos años, recorriendo los tomitos de las *Obras Completas* de Azorín, cuidadas y prologadas por Angel Cruz Rueda y editadas por Aguilar, al comprobar ese gusto constante de Azorín de evocar poetas de todos los tiempos, desde la Edad Media hasta hoy, se me ocurrió una idea editorial que me pareció acertada, y me apresuré a escribir a Azorín pidiéndole su autorización para realizarla. Mi idea era sencilla: se trataba de reunir en un volumen todas las páginas, o una selección nutrida de ellas, que escribió Azorín sobre los poetas españoles. El volumen podría tener este título: "Breve historia de la poesía española". Quizá el libro debería llevar algunas ilustraciones —imágenes de algunos poetas y reproducciones de portadas de libros clásicos y románticos—. Y un prólogo —¿o quizá un epílogo?— del propio Azorín, más una nota bibliográfica mía sobre los páginas seleccionadas. La respuesta de Azorín no se hizo esperar: era una negativa, aunque amable, rotunda. Conservo, entre otras cartas suyas, aquella respuesta, fechada el 22 de marzo de 1958. Dice así:

> "Querido José Luis Cano: El consistorio de poetas resultó perfecto[3]. . . Un editor de Barcelona desea publicar un manual de literatura española formado con lo que yo he escrito sobre los clásicos. No accedo a ello; no quiero desvalijar tomos y tomos. ¿No pasaría lo mismo con la historia de la poesía que usted me propone? García Mercadal está formando volúmenes con trabajos pasados; pero esos trabajos —como los que figuran en el reciente *Dicho y hecho*— no estaban recogidos en libro alguno. He escrito muchísimo acerca de poetas; merece especial mención el conde Bernardino de Robolledo; está enteramente olvidado; no sé por dónde para mi estudio sobre él. Abrazo cordial. Azorín".

Esa predilección, ese gusto constante de Azorín por la poesía, ¿no nos hace sospechar que Azorín fue, quizá en su juventud, poeta; que en sus años jóvenes escribió versos hoy totalmente olvidados? En todo caso, si no escribió versos, de lo que, por otra parte, no estamos seguros, mucho había de poeta —sensibilidad, imaginación, fantasía— en el escritor Azorín. Y son quizá esas cualidades que observamos en tantas páginas suyas, las que hacen de Azorín un gran escritor, del que nunca está ausente el toque lírico, el temblor poético.

J. L. C.
*Avenida de los Toreros, 51*
*Madrid*

### *Notas*

1. Editorial *Doncel,* Madrid.
2. Colección *El Puente,* EDHASA, Madrid.
3. Alude aquí Azorín al homenaje que le hicieron los poetas españoles en el Instituto de Cultura Hispánica, de Madrid.

# Breve Noticia De Un Curioso Epistolario Del Joven Baroja Al Joven Martinez Ruiz*

Por

Camilo José Cela

*De La Real Academia Española*

En la casa museo de Azorín, en Monóvar, se guardan varias cartas dirigidas por el joven Baroja al joven—un año más joven—Martínez Ruiz, que nació coincidiendo con el arranque de los *Episodios Nacionales,* de Galdós. Quiero dejar pública constancia de mi gratitud a los miembros del patronato de la dicha casa museo por las facilidades que en todo momento me brindaron.

Las cartas de que les hablo son dieciocho y, que yo sepa, no han sido publicadas todavía, aunque vayan a serlo —y quizá no tarde—por mí y con unas breves notas aclaratorias.[1] Ninguna de ellas tiene desperdicio y todas nos ayudan a recomponer la imagen barojiana de entonces. Y de siempre.

La primera de estas cartas, sin fecha, es de finales de junio o primeros días de julio de 1893, el año de la guerra de Melilla, y tiene —particularmente para mí— un interés familiar: su alusión a Rafael Picavea, hermano de mi suegra, que ha de continuar presente en la carta que a ésta sigue y en alguna otra de varios años más adelante.

"Probablemente hice una tontería —dice Baroja a Azorín— al pedir a Picavea mil pesetas para cada uno de nosotros (. . .). Para mí, que estoy en Madrid, se me figura que no es mucho, pero para usted, que está en Monóvar y tiene que ir desde allá a San Sebastián y pasar allá dos meses, es poco. El secretario de Picavea aceptó lo de las mil pesetas, pero creo que Picavea daría más aunque no se le pidiera. Yo empiezo a no tener ganas de ir porque veo que, en el fondo, el periódico ha de ser clerical. Si usted está decidido a ir, dígalo usted; aquí le dejarán a usted dos mil reales. Hay que estar en San Sebastián el 25 de julio. Condiciones por ahora: mil pesetas por dos meses (aunque ya le digo a usted que Picavea dará lo que se necesite) y la mitad de esas mil pesetas, adelantadas. Yo, a pesar de esto, la sombra del clericalismo del periódico nuevo me molesta y quizá al final no vaya."

Siete años antes de que Baroja publicara su primer libro, *Vidas sombrías,* e incluso faltando todavía tres años para la aparición de su tesis doctoral, *El dolor. Estudio de pisco-física,* dos evidencias se deducen de la carta que me he permitido leerles a ustedes: su buscada presencia en el trabajo de la pluma —no obstante no haber cumplido aún sino veinte años— y su preocupación por mantenerse independiente; al margen de la pura anécdota de que a Picavea hubiera podido sacarle más dinero (500 pesetas de entonces, al mes, era un holgado sueldo). En el diario de Picavea, *El Pueblo Vasco,* había de colaborar Baroja diez años más tarde, en 1903.

En la segunda carta, fechada el 18 de julio del mismo año, Baroja es todavía más explícito.

"Le digo a Picavea que no vamos a San Sebastián. Ahora yo, por mi parte, he añadido que con las mil pesetas que le dije me voy, si quiere, camino de Macedonia, a todas partes, menos a San Sebastián." ¿Qué le pasa a Baroja con la ciudad que lo vio nacer? ¿Adivinaba que, después de muerto y tras una vida gloriosa, el ayuntamiento donostiarra habría de resistirse a bautizar una calle con su nombre? "Le he dicho que usted —continúa en esta su carta a Azorín— es el que no quiere ir, para no entrar en explicaciones con él de por qué yo no quiero ir."

La tercera carta es de ocho años más tarde y está fechada en Madrid el 23 de julio de 1901. Baroja ya no era un escritor inédito y, amén de su primero e inadvertido *Vidas sombrías,* tiene ya en la calle dos novelas: *La casa de Aizgorri y Aventuras, inventos y mixtificaciones de Silvestre Paradox,* que había aparecido como folletón en *El Globo.* La carta que ahora leemos nos trae noticia de una actitud y de un viaje. La primera alude a la de su aversión a la burocracia: "He preguntado en la Universidad —nos dice— el caso de Amancio (uno de los hermanos de Azorín, que quería cambiar su matrícula) y un señor con toda la grosería que gastan estos tíos, cagatintas universitarios, me ha dicho, etc." La segunda, la del viaje, nos habla de que "uno de estos días" se va a ir al Paular, refugio por el que siempre tuvo manifiesta querencia.

Pasemos a la cuarta epístola, de 3 de agosto también de 1901 y desde Madrid, en la que narra su vida de noctámbulo veraniego: "(. . .) me levanto a la hora de comer (. . .) y a la noche nos dedicamos a los Jardines (Baroja llama Jardines, por antonomasia, a los jardines del Buen Retiro) y después a tomar un bock en el bar y a dar vueltas por Madrid hasta que aparece en el cielo la de los dedos rosados que dejando la cama del celoso marido. . ." En la misma carta anuncia otro viaje y se permite un gracioso e ingenuo juego de palabras: "Yo me voy a pasar dos o tres días a Cogolludo (. . .). No es muy cogolludo el proyecto pero no se puede hacer otra cosa."

La quinta carta —Madrid, 17 de setiembre del mismo año— es graciosa y algo más larga; me voy a permitir glosarles a ustedes algunos párrafos. "¿No siente usted la nostalgia de Madrid? —empieza preguntando—. Me dijo Colorado, que le había visto a un hermano de usted, que trabaja usted mucho. Burell, hace algún tiempo, me habló de usted; me habló bien y, como es natural, no dándose por enterado de las pequeñas alusiones a su instinto económico para los cigarros puros. Madrid empieza a ponerse agradable, aunque las pequeñas muchachas de la aristocracia no han hecho su aparición por la Castallana, están todas en sus *chateaux;* hay quien ameniza nuestros paseos: Luisa Minerva, por ejemplo, que sigue tan displicente mirando desdeñosa a la humanidad y ciñédose la falda de tal modo que casi casi empieza a traslucirse el ombligo a través de la tela de su traje. Una mala noticia —continúa—: Su novia de usted, Aurelita de Quintana, pasea con un joven que lleva pantalones blancos de piqué y el bastón cogido por la contera." ¿Qué mosca le picó a Baroja para comunicar semejante extraña noticia a su amigo Azorín? ¿Qué raro diagnóstico encierra la advertencia de que el antagonista del maestro levantino usa pantalones blancos —y para colmo, de piqué— y empuña el bastón por la contera? El colofón de Baroja a la mala nueva encierra, sin embargo, un punto de humor: "Los intelectuales somos así —le dice—: crueles y terribles." Y termina con un trozo histórico: "A propósito de terribles: el terrible Bargiela ha organizado un banquete en honor de dos portugueses desconocidos que han venido de Lisboa (o mellor[2] povo do mondo) y en el banquete va a pronunciar él, con sus mismos bigotes, un discurso en portugués. Allá en el banquete, entre Villaespesa. Machado, Maeztu, Bargiela y unos cuantos más, en unión de los dos portugueses (que por su tipo deben ser sastres) vamos a hacer la unión ibérica literaria, que precederá a la unión política, económica, social, etc., etc.,; todas estas uniones, protegidas por la rebaja de precios de los tupis de Madrid a Lisboa (o mellor[3] porto do mondo), serán un abrazo, como diría Proudhomme, entre las dos grandes naciones del extremo Occidente". Que en este banquete puedan, o no puedan, rastrearse las remotas motivaciones del Pacto Ibérico, es algo cuya averiguación no me compete puesto que no soy historiador. Baroja termina su información con un corte insospechado al que ni siquiera concede los honores del punto y aparte: "El Paular, en donde he estado: delicioso."

En la siguiente carta, sin fecha pero también de Madrid y de 1901, ya expresa su impaciencia por terminar el libro que trae entre manos y su deseo de abandonar la crítica teatral que viene haciendo y que le ofrece a Azorín. "Dígame usted —escribe— si viene usted pronto o no, porque yo tengo que terminar el libro para Barcelona y con esto de la crítica de los teatros no hago nada, me sirve la cosa de pretexto para andar golfeando por ahí. Si viene usted dentro de pocos días, yo esperaré; si no, le diré al director de *El Globo* que busque otro."

¿A qué libro, "para Barcelona", se refiere don Pío? Cartas más adelante —y ruego que se me perdone este salto cronológico que rellenaré a no mucho tardar—, él mismo nos lo explica con claridad suficiente, a renglón seguido de algunas noticias familiares, profesionales y tumultuarias.

Hablo ahora de la carta décima, en el orden del epistolario que manejo; viene sin datar pero es, sin duda, de Madrid y, según lo más probable, de 1902. "Hemos tenido una mala racha este verano —dice Baroja—; mi hermana ha estado enferma con una fiebre tifoidea no muy grave afortunadamente, y además de eso, que ha sido nuestra preocupación mayor, una porción de líos por culpa del traslado de la panadería. Nuestros obreros se han portado con nosotros como canalla vil que son. Anteayer tuvimos que ir a la Delegación porque Ricardo le arrimó una bofetada a un hornero que le hizo dar dos o tres vueltas, le hinchó la nariz y estuvo echando sangre media hora". La torta, según cabe colegir, debió ser lo bastante poderosa como para concederle rango histórico; Ricardo, a diferencia de su hermano Pío, no era hombre que se anduviera por las ramas en estos trances, y el hornero agredido, a juzgar por lo que se nos dice, cobró lo suyo. A continuación del relato del suceso, Baroja sigue: "Valentí y Camp me escribió y como yo no tenía concluída la novela y, para terminarla, necesitaba ver alguna que otra cosa, se me ocurrió convertir en novela aquel drama del que no tenía más que un acto y que se lo leí a usted." ¿De qué novela habla Baroja? No tengo la menor duda a este respecto: de *El Mayorazgo de Labraz,* publicada por Heinrich y Cía., de Barcelona, en 1903, en la *Biblioteca de Novelistas del siglo XX* que dirigía don Santiago Valentí y Camp, diputado de don Nicolás Salmerón y más tarde presidente del Ateneo Socialista de Barcelona. Baroja nos explica —a través de esta carta a Azorín— la técnica de trabajo empleada y, lo que es más curioso, pide socorro del amigo: "Llevo dictando a un escribiente granadino —continúa— amigo de Gerona y Alberti, unos diez días: las cuartillas, a pesar de escribir por este procedimiento a lo Ponson du Terrail y de Montepin, cunden muy poco. A ver si tiene algo hecho que me sirva para meter en el libro. Este algo podría tener como título: *La vida de los hidalgos en el siglo XVII,* o podría ser una descripción de un entierro con todos los latines correspondientes, o una descripción de una misa de funerales; cualquier cosa que tenga un carácter arcaico me sirve. Lo mejor sería una conversación de dos hidalgos, el uno avanzado y el otro reaccionario, hablando de la Constitución. El libro va a resultar un ciempiés —un ciempiés y sin cabeza, como diría Gerona— pero para mí la cuestión es llegar a las dos mil del ala."

¿Atendió Azorín la llamada de auxilio de su amigo? No debe ni ponerse en tela de juicio, tras leer la tarjeta postal de acuse de recibo que le dirije Baroja (también sin data pero con matasellos de Madrid, 30 de agosto de 1902): "Ya recibí las notas. Algunas me sirven admirablemente pero a pesar de todo, para llegar a las 300 páginas necesarias, voy a necesitar Dios y ayuda. He metido en mi libro un entripado formidable, pero aún no he conseguido el tamaño necesario." El "entripado formidable" del que habla don Pío no es fácil, ni tampoco imposible, de determinar en el cuerpo del libro, y sobre eso trabajo[4] con paciencia, e ignoro si también con buen provecho; caso de obtener, cuando fuere, alguna conclusión mínimamente aceptable, ya la publicaré. Lo que sí puedo decir ahora es que *El Mayorazgo de Labraz,* contra el sentir de Baroja, no es ningún ciempiés sino una novela perfectamente estructurada; entiendo como muy probable que las notas facilitadas por Azorín no hayan ido a la imprenta en derechura y tal como llegaron, sino tras una reelaboración, más a menos paciente, de Baroja. Don Pío, en el t. VII de *Desde la última vuelta del camino,* el que titula *Final del siglo XIX y principios del XX,* dice que "es una novela desigual, mal compuesta, pero que tiene un fondo de romanticismo y cierto color y movimiento". En todo caso, aquí queda la constancia de algo que quizá pueda servir de motivo de pensamiento para el estudioso.

Volvamos hacia atrás. Ibamos, según mi cuenta, por la séptima carta, fechada el 7 de julio por la noche, sin año, pero creo que de 1901, en la que, tras suponer que Azorín se aburre y declarar que él tampoco se divierte, nos suministra muy curiosas noticias de su vida y andanzas. "Supongo —dice a su corresponsal— que se aburrirá usted y cantará a la luna tiernas endechas desde el jardín del Casino de Monóvar. Aquí vamos pasando lentamente, lentamente como los frailes de los versos de Godoy, y aburridamente también. Tengo un proyecto terrible —sigue en punto y aparte—: hacer otro periódico; pero no un semanario ni otra chapucería así, sino un periódico diario. Se me ocurrió la idea la otra tarde en el Congreso, viendo tanto idiota en el Salón de Conferencias. ¿Por qué nosotros, gente joven, que aunque no valgamos nada, valemos más que estos señores, no hemos de intervenir en estas cuestiones políticas? E inmediatamente, la idea: hacer un periódico. Este sería una cosa similar a *La Aurore,* de Clemenceau, una publicación que reuniera, sin dogma alguno, a los socialistas, a los anarquistas y a los intelectuales independientes. Yo no sé si se podría hacer, yo he supuesto que sí y he pensado como hombre práctico y fuerte (ahora tomo glicerofosfato) en formar una sociedad por acciones: cien acciones a mil reales. Tendría gracia que resultara. Por de pronto yo voy a escribir a mi padre para que hable a algunos de esos capitalistas ricos de Bilbao. Forma parte del proyecto aprovecharse de los datos del ministerio de la Gobernación que nos suministraría el gran Alberti; él irá a verle a Moret para encontrar una pequeña subvención y otra porción de martingalas que iríamos pensando."

Pese a los sueños, las martingalas y el glicerofosfato, el proyecto cayó por su base porque el contemplativo Baroja se imaginó, una vez más, lo que jamás fue y siempre quiso haber sido: un hombre de acción "práctico y fuerte" como, en su inocencia, se declara. El gran Alberti del que habla Baroja es el granadino José Ignacio Alberti, empleado del gabinete de prensa del Ministerio de la Gobernación, y hombre pintoresco, filarmónico y violento, que había fabricado un gran abanico con periódicos atrasados que colgaba del techo; que cantaba la romanza de *La favorita*, y que a poco más deja manco a Valle Inclán del otro brazo, cuando ya había perdido uno. En su covachuela y ante un grupo de amigos leyó Baroja *El Mayorazgo de Labraz*, ya en galeradas. "De noticias, aquí no hay nada —sigue escribiendo Baroja—: que Valle Inclán se va a Barcelona el lunes de la semana que viene; que ha venido Marquina; que Maeztu y Valle estuvieron a punto de reñir el día pasado por la vieja cuestión de Poveda; que de mi libro escribió un artículo Valera en *La Lectura* (sobre la novela *Aventuras, inventos y mixtificaciones de Silvestre Paradox*; fue publicado en el n.º VI de la revista dicha), y además que el día pasado le escribí una carta a Unamuno mandándole al carajo. Como me decía que me debía marchar de Madrid, el otro día que estuvieron en casa Rodríquez y Marquina, el primero me dijo: —Voy a verle a Unamuno. —¡Hombre! Ya que está hablando de que yo debía marcharme de Madrid, dígale usted que me busque algo en Salamanca. —Bueno. Dijo que lo haría y efectivamente se lo indicó y le contestó Unamuno que buscaría algo por allá. Como se fue allá (a Salamanca) el rector y no dijo nada, yo le escribí y me contestó una carta muy amable pero tan en pedagogo pedante que me indignó y le contesté una porción de impertinencias. No me ha contestado todavía." Unamuno y Baroja siempre se llevaron mal; eran muy diferentes y no complementarios (tal el binomio Baroja-Azorín) y a nadie debe extrañar el divorcio de sus sentimientos y actitudes. Recuérdese que Unamuno, bastantes años andando, llegó a decir de Baroja que le gustaría que le enviase sus obras completas encuadernadas con su propia piel. "Yo no tengo ningún motivo de antipatía personal contra Unamuno —nos dice Baroja en sus memorias—; pero cuando intento leer sus libros, pienso que son como una venganza contra algo que no sé lo que es."

La siguiente carta, la octava ya, está escrita en papel con un membrete que dice: "*El Globo.* Diario Liberal Independiente. Mayor núm. 6. Madrid. Redacción."; va fechada a 26 de marzo, pienso que de 1902, y dice así: "Me dijo Alberti que haría el encargo que usted le indicó; no lo hice enseguida porque he estado atareado con un asunto financiero que ayer terminó lo más desfavorablemente para mí con la salida de Villaverde del gabinete. Este Silvela es un pedazo de adoquín completo." Baroja fue siempre hombre de opiniones tajantes y, a lo que se ve, ,el jefe del partido conservador don Francisco Silvela —"la daga florentina", como se le llamaba en las crónicas políticas de su tiempo por lo acerado de sus intervenciones parlamentarias— no era santo de su devoción. Don Francisco Silvela, el creador de la feliz locución "Madrid, en verano, con dinero y sin familia, Baden-Baden" y autor de *La filocalia o el arte de distinguir a los cursis de los que no lo son,* se sentó, en la Academia Española, en la silla K, que años más tarde habría de ocupar don Gregorio Marañón, el encargado de recibir a don Pío en aquella casa.

En la novena carta, también sin fecha y asimismo de 1902, anima a Azorín a colaborar en *El Globo*: "No le he escrito a usted antes porque en estos días estaba creyendo que lo que le contó Rodríguez Serra de las combinaciones con *El Globo* no iba a resultar. Sin embargo, ahora parece que sí, de manera que debe usted enviarle a Riu, o enviarme a mí para que yo se lo entregue, uno de sus *Paralogismos.* No sé al fin si haré lo de los teatros, en tal caso será sólo la comedia y drama porque el género chico lo hace ya otro. ¿No le gustaría a usted eso? ¿El hacer la crítica del género grande? A mí no me gusta porque ya sabe usted que yo, además de ser algo patoso para escribir, pongo de primera intención una gran cantidad de barbaridades." Según mis datos, Azorín colaboró en *El Globo,* a fines de 1902, con un artículo titulado *Los Labradores.* Emilio Riu, "un catalán pequeño, moreno y barrigudo", al decir de Baroja, llegó a subsecretario de Hacienda.

De las cartas décima y undécima ya informé a ustedes minutos atrás. En la carta duodécima —quizá también de 1902 porque todavía habla del negocio de la panadería, que delegó este mismo año en un administrador—, Baroja está triste y pesimista: "He estado malo con intermitentes unas dos semanas y me he quedado muy flojo. No voy a poder terminar el libro para cuando quería; además se resentirá probablemente de flojedad." Alude, como ustedes podrán recordar, a *El Mayorazgo de Labraz.* "Ricardo —sigue don Pío—, ocupado con la panadería que nos está dando una porción de disgustos. Todavía no hemos acabado con la obra. Yo aún no salgo de noche y no les veo a Alberti ni a ninguno de los otros."

Baroja, sin embargo, pronto se repone y vuelve a la carga y a los proyectos. En la carta decimotercia, sin fecha aunque ya desde su nueva casa de la calle de Mendizábal, a donde se trasladó la familia a finales de 1902, se muestra de nuevo el Baroja de buen humor y veleidades científicas. "Ya envié los libros a don Camello —dice— con las dedicatorias *flattenses* puestas por Ricardo con la peor de sus letras. Estamos ya en la casa nueva de Mendizábal 34, en donde yo estoy pensando poner una especie de laboratorio para dedicarme a hacer análisis químicos. He encargado unas cuantas cositas baratitas y he comprado un microscopio simple de los baratos."

La carta decimocuarta está fechada en Madrid a 5 de julio, supongo que de 1903. En ella vuelve a hablarle a Azorín de Rafael Picavea: "Ayer estuve con Picavea, el de San Sebastián en los Jardines. Los días anteriores había estado con su secretario." Y cuñado, aclaro ahora: Toribio Noain, el marido de Javiera Picavea. Continúa Baroja: "Maeztu no le había escrito nada. Discutimos la cosa y como le dijeron que usted era un tanto antojadizo, se pensó en que se nombrara para el periódico nuevo un director estable, un señor Hermino Madinaveitia. Entonces se me ocurió a mí que podríamos nosotros formar una como redacción veraniega y Picavea aceptó la idea. Yo voy a pasar una temporada allí y a hacer una información por pueblos y caminos. Si usted quiere ir de redactor veraniego, dígame usted lo que habría de pedirle a Picavea. Yo, aunque creo que iré, no le he puesto todavía condición alguna. Como este Picavea es amigo de mi padre y algo pariente mío, me atendré a lo que él diga." Del parentesco de Picavea y Baroja no se puede decir que no lo cazara un galgo aunque sí, quizá, conviniera usar para este menester un galgo muy entrenado. La madre de Rafael Picavea, doña Concha Leguía, la bisabuela de mi hijo, era hermana de doña Javiera Leguía, que se casó con don Manuel Larumbe y fueron los padres del médico Rafael Larumbe, amigo, compañero de viaje en sus excursiones a París y quizá pariente de Baroja; no descarto la posibilidad de que el parentesco sea otro y yo lo ignore. Sé bien que esta ampliación del concepto de la familia hasta lindes más allá de las habituales suele ser patrimonio, casi exclusivo, de vascos y de gallegos; en consecuencia, pido perdón a mis oyentes no vascos ni gallegos por la licencia que me tomo de dar por natural y sabido lo que suele ignorarse y más bien tenerse por artificial, que no antinatural. Baroja sigue diciéndole a Azorín: "Hace algunos días estuve en el Teatro Lírico, donde está o va a estar la redacción del *Gráfico,* con el secretario de Gasset. Dicen que saldrá el periódico el primero de octubre y que para septiembre tendrían formada la redacción. Me dijo el secretario de Gasset si quería que hablara de mí para redactor; yo le dije que no. He añadido que quizás a usted le gustase eso. Si quiere usted ir a San Sebastián, al periódico de Picavea, empieza el 1.º de agosto según parece; si la parece a usted mejor lo del *Gráfico* debía usted de escribirle a Burell, que será el director. A lo de Picavea, contésteme usted cuanto antes."

En la carta decimoquinta, Madrid, 21 de julio de 1903, Baroja apremia a Azorín: "Me parece que no voy a tener más remedio que ir a San Sebastián y en este caso le pondré a usted un telegrama dos días antes diciéndole el día que salgo para que usted se presente en Madrid, si quiere ir allá."

La carta decimosexta también está fechada: 14 de agosto de 1903. "Me escribe Picavea diciéndome que colabore usted en el periódico nuevo. A mí me dijeron que enviara un artículo para el primer número, pero como resultaba un poco violento no lo quisieron poner." El artículo a que Baroja hace referencia se titulaba *No nos comprendemos* y apareció en el n.º 32 de *El Pueblo Vasco,* 1 de septiembre de 1903; colaboró también los días 3, 5, 10 y 18 del mismo mes y año, en total, en cinco ocasiones bien seguidas las unas de las otras. "Pagar, pagarán bien —vuelve don Pío—, pero no quieren cosas fuertes sino artículos de crítica política o social hechos amablemente. Si quiere usted colaborar, mande usted los artículos al Sr. Director de *El Pueblo Vasco,* Plaza de Guipúzcoa, San Sebastián. Picavea quiere con gran interés que usted colabore. Creo que el *Gráfico* no va a salir." No obstante la amistosa —y tan reiterada— insistencia de Baroja, Azorín no llegó a acompañarle a San Sebastián.

Desde esta ciudad está fechada la carta decimoséptima, si bien tan sólo con número ordinal, el 26, cabe suponer que de agosto y del mismo año 1903, y en ella le anuncia su regreso a Madrid: "Yo me voy dentro de tres o cuatro días de aquí. He estado una temporada corta en Articuza (les aclaro: un caserío de Goizueta, en Navarra) y por eso no contesté a la anterior carta. Eso del *Globo* yo no sé cómo va. Por lo que me ha dicho Maeztu, Troyano es el director y según parece Riu no tendrá ningún cargo en la nueva empresa. Maeztu ya lleva hablando y entendiéndose con Troyano para esto, desde hace tiempo. El podría decirle a Troyano lo que usted quiere, pero me parece que Maeztu no hará nada por llevar al periódico alguien como usted que le pueda, no sólo hacer sombra, sino oscurecerle. En Madrid, si voy yo antes que usted, ya me enteraré de qué es lo que hay y se lo diré a usted."

La decimoctava y última carta de este curioso epistolario que el saludable afán de vagabundear por el país puso en mis manos, está fechada en Castellón, 15, sin mayores precisiones; Baroja escribe en papel timbrado: "Obras Públicas. Provincia de Castellón. (La insignia de los ingenieros de Caminos). Ingenieros. Particular." Que a Baroja no le gusta el Levante español es algo que conoce cualquiera que lo haya leído; como vasco, Baroja ama las brumas que difuminan el paisaje y los tintes grises que lo dulcifican y amansan, y el Levante es luminoso y violento, grandilocuente y multicolor, aparatoso y nítidamente dibujado. Para que no haya dudas del sentimiento de Baroja hacia el Levante, he aquí lo que dice al levantino Azorín: "Estoy en casa de mi amigo, al lado de un balcón con muchos tiestos. El viajecito, latoso, hasta la exageración. Encontré Valencia tan repugnante como me parecía cuando tuve la desgracia de padecerla dos años y medio". Recuérdese que Baroja vivió con los suyos en Valencia, siendo todavía estudiante de medicina, y que sus primeras impresiones no pudieron ser más violentas ni insospechadas: las chinches atacando en tropel, un pavo real pegando gritos estentóreos en un tejado, el rosario de la aurora, el vecino que criaba conejos en un armario y, para remate, las hemoptisis y muerte de su hermano Darío. "La catedral, fea —sigue Baroja—, con unas reparaciones que están haciendo, odiosas, con luces eléctricas de arco voltaico colgando de las naves. La reja de Villena es mejor que todas las que hay en la catedral de esa encantadora ciudad de las flores, de Blasco Ibáñez y Rodrigo Soriano. Valencia para mí es el pueblo más antipático de toda España. Cuando iba en el tren, oí una serie de conversaciones entre gentes de Gandía, Játiva y Carcagente, hablando de los jesuítas, que ardían en un candil. Las mujeres, sobre todo, eran las que llevaban la voz cantante y el estribillo de todos refriéndose a los jesuítas, era siempre decir: *mala chens,* mala gente. Aquí en Castellón hay una iglesia gótica estropeada, que la han pintado de una manera loca, todas las columnas, chapiteles, etc., etc.; no hay sitio para poner en la pared la punta de un alfiler. Esta maravilla la hizo en unos cuantos años un pintor valenciano. Vivo en la calle Mayor, 37, y estaré cinco o seis días. Le voy a escribir a Orts para preparar la vida de Bohemia. Véngase usted allá." ¿Qué es la vida de Bohemia? Baroja, en su carta a Azorín, escribe vida con minúscula y Bohemia con mayúscula. ¿Se refiere a *Adiós a la bohemia,* aparecido en 1911 en *El cuento semanal,* la publicación que dirigía Emilio Carrere? ¿Alude a *Bohemia madrileña,* que vio la luz en *La Esfera,* en enero de 1915? ¿Quién es el Orts de que habla? ¿Ramón, el inventor del faro parlante? ¿Su hermano Tomás, el sucesor de don Jacinto Benavente en la dirección de la revista *La vida literaria?* Estas preguntas —y no pocas más— quedan pendientes de respuesta; la cronología de aquellos primeros tiempos de Baroja no es excesivamente puntual y las fechas, con harta frecuencia, son confundidas o entremezcladas por sus historiadores.

C. J. C.
*La Bonanova*
*Palma de Mallorca*

## *Notas*

*Conferencia pronunciada en el Ateneo de Madrid, el día 9 de mayo de 1972. Incluída en esta edición con el permiso del autor.

1. Ya llegarán, si llegan.
2. Sic.
3. Sic.
4. Trabajaré.

# LECTURA Y LITERATURA

## (En Torno a la Inspiración Libresca de Azorín)*

Por

E. Inman Fox

*"La matière première de l'artiste n'est pas la vie, ce n'est pas la réalité; c'est toujours autre oeuvre d'art."* (*André Malraux*, Psychologie de l'art)

La actividad de Azorín como lector de la literatura española es tan bien conocida que podemos constatar que gran parte de su fama se debe a su comentario "al margen" de los clásicos. Desde su primer folleto, *La crítica literaria en España* (1893), no ha dejado de expresar su entusiasmo por la literatura, elogiada y olvidada, de su país y por problemas de crítica literaria. Ha buscado en las letras medievales y de la Edad de Oro "el alma castellana"; ha estudiado a fondo el siglo XVIII, en el que encuentra los principios de la europeización de la cultura hispánica; ha percibido los gérmenes del nuevo arte a través de la lectura de los escritores de la generación immediatemente anterior a la suya; y ha leído y comentado generosamente a sus contemporáneos. Pero el campo de la lectura de Azorín rebasa con mucho lo puramente literario; y le ha servido no sólo para revalorizar públicamente la literatura y el arte de España, sino también para desarrollar su arte por contacto con fórmulas estéticas compatibles con su propia sensibilidad y para exponer sus ideas sobre problemas sociales y cuestiones espirituales y metafísicas. Otros libros, pues, siempre han sido el arranque de su inspiración artística y hasta podemos decir que le han suministrado casi la totalidad de su experiencia. En fin, venimos a que la lectura para Azorín es su más importante modalidad vital y que un estudio de su relación con ella, de su reacción ante ella, se convierte en un tema esencial para un conocimiento básico de su arte. El propósito de este ensayo tripartito es señalar: 1) que Azorín no halla la inspiración en la observación de la realidad, sino en otros libros —hecho que explicaría por qué la mayoría de su obra no es, en definitiva, más que comentario al margen de los clásicos españoles; 2) cómo, con un sentido completamente suyo, pondera la vigencia de un texto medieval o renacentista desde la vertiente estética de nuestro tiempo; y 3) cómo su peculiar sensibilidad libresca le lleva a la necesidad de "re-escribir" obras maestras de la literatura española.

## I

Después de los estudios tan profundos sobre la estética y el estilo azorinianos por Ortega, Manuel Granell, Carlos Clavería, Heinrich Denner, Marguerite Rand, Leon Livingstone y Robert Lott,[1] hablar de la inspiración libresca de Azorín nos podría parecer un paso atrás, si no fuese por su naturaleza elemental y necesaria. Una dosis algo fuerte del costumbrismo y de la novela del siglo XIX, la reputación, en mi opinión exagerada, de los escritores del 98 como peripatéticos y cuidadosos observadores de la realidad española,[2] y algunas citas de *La voluntad* han dejado la impresión general de que Azorín ha encontrado su inspiración en la realidad —a pesar del hecho de que la ha estilizado—. Por tanto, para llegar a entender el proceso creador del maestro tenemos que revisar —y no poco— esta conjetura, porque Azorín se sintió más inspirado por los libros que leía que por la realidad que le rodeaba.

Cualquier interesado en las obras de Azorín habrá notado la forma erudita (notas y fuentes bibliográficas) de sus primeros folletos de sociología y crítica literaria, y se habrá extrañado por las listas de fuentes que figuran después de cada capítulo de sus primeras "obras de ficción", *Los hidalgos* (1899) y *El alma castellana* (1900), y después de cada acto de su drama *La fuerza del amor* (1901)[3]. Todos hemos visto las innumerables alusiones a obras literarias, libros históricos y geográficos, diccionarios y guías turísticas; y sin contar los miles de ensayos sobre la literatura, nos habremos dado cuenta de que, en su mayoría, las estampas incluidas en sus obras mejor consideradas, como *Los pueblos* (1905), *España* (1909) y *Castilla* (1912) arrancan de un clásico español. Sabemos también cómo contribuye un tema de literatura española a la estructura de *Don Juan* (1922), *Doña Inés* (1925) y *Félix Vargas* (1928), sus novelas más logradas; y se ha señalado muchas veces su afán de re-escribir los clásicos. Sin embargo, con toda esta evidencia, ningún crítico que sepamos ha estudiado la inspiración libresca en la obra de Azorín. Que ha sido un lector asiduo, hasta investigador, y que los libros le han proporcionado la materia artística, son hechos innegables[4]. Además, ha escrito mucho sobre los libros y la lectura y el papel influyente que han tenido en su vida. Hojeando sus obras completas tropezamos tantas veces con ensayos (desgraciadamente suelen estar olvidados) que tratan del tema que nos interesa en este estudio, que parece ocioso citarlos aquí. Nos aprovecharemos de uno, no obstante, por ser de índole teórica, como punto de partida en la discusión del problema bajo consideración. Se titula *Los libros* y cito un párrafo: "Los libros sustituyen a la vida; lo hacen de dos maneras: por *interposición* y por *suplantación*. Examinemos la interposición: el libro se interpone entre la realidad y nuestra sensibilidad, entre el hecho y la comprensión. En un lugar placentero, histórico, dramático, notable, en fin, por algo —paisaje, monumento, museo, catedral—, apenas entramos en contacto con la realidad surge el recuerdo del libro, el libro famoso, que ha fijado un aspecto de esa realidad, y que, *velis nolis,* nos la impone. Pasemos a la suplantación: el libro suplanta nuestra personalidad: nos creemos, con la absorción del libro, el libro famoso, una persona distinta de la que somos. Nuestras ideas se desvían; nuestra voluntad se tuerce; surgen el romanticismo, el clasicismo, el modernismo, el intelectualismo, resumen y compendio de todos los *ismos*" (*Obras completas*, IX, 403).

A lo largo de sus libros, Azorín nos dice repetidamente que busca el espíritu español en su literatura (y no se debe olvidar que también es para Unamuno el subsuelo del casticismo), la mejor fuente para un estudio de los sentimientos humanos, y que la reacción de una raza a los acontecimientos políticos manipula la dirección de la Historia, o por lo menos constituye su aspecto más trascendental. Pero Azorín siempre ha interpretado la realidad por la óptica de su lectura —sea su preocupación un problema social, la política, o la descripción de un paisaje castellano o levantino; y cuando Yuste le dice a Antonio Azorín en *La voluntad* que no hay más realidad que la imagen, pudiéramos añadir, sin equivocarnos, como se verá luego, que Martínez Ruíz se refiere a la impresión sacada de una lectura. Por las ediciones raras y curiosas que describe y cita con deleite, es evidente que nuestro escritor es un bibliófilo de primera fila; y como yo he señalado en otro estudio[5], una de las razones de su fracaso como anarquista ha sido la de no participar activamente en el movimiento: se ha limitado a formular una posición intelectual y teórica con respecto a los problemas sociales. Nunca experimentó u observó los dolores de los obreros; era un convencido de su opresión, por la lectura; es decir, intelectualmente convencido. Y puesto que su aparente personalidad de aquella época juvenil parece tan distinta de la que conocemos hoy, tanto su anarquismo como sus otras actitudes variadas pueden explicarse como ejemplos de la suplantación mencionada en el artículo citado arriba.

Su teoría de la interposición de los libros es aún más clave porque es una confesión del propio Azorín que la lectura ha influído en su visión de la "realidad". Sin rechazar nunca —y esta declaración me es importante por el aprecio que me inspira la obra de Azorín— el hecho de que el autor ha fundido maravillosamente lectura, observación y estilo, lo interesante es saber si dentro del proceso creador el recuerdo del libro "surge del contacto con la realidad" o si la lectura en sí es la fuente prima de la creación; es decir, el primer resorte inspirador. Si la extraña estructura de *La voluntad* —novela para la cual se preparaba Azorín con seis meses de investigación[6] —gira alrededor de elementos librescos: las alusiones numerosas a la literatura y a la pintura españolas, un pastiche de artículos periodísticos[7], y el comentario del personaje (libro) Yuste con su cadena de oro (Montaigne)[8]; y si nos enteramos al final de *Antonio Azorín* que la lista verdaderamente asombrosa de artefactos caseros y cocineros al principio de la novela ha sido sacada del *Diccionario general de cocina,* por ahora enfocaremos nuestra atención sobre *La ruta de don Quijote* (1905) para no abrumar al lector con demasiada documentación.

Como se sabe, *La ruta de don Quijote* es una recopilación de artículos escritos, en honor del tricentenario de la publicación de la primera parte del *Quijote,* durante un viaje por la Mancha y mandados por Azorín periódicamente al diario *El Imparcial.* En estos artículos describe lugares que formaron el espíritu de

Cervantes y que luego visitó Don Quijote: Argamasilla, Alcázar de San Juan, El Toboso, las lagunas de Ruidera, etc. Contribuyen muy poco a una comprensión del *Quijote,* pero se le ofrece a Azorín la oportunidad de pintar a los manchegos y sus pueblos como le parecen en 1905 y de imaginar cómo habrían sido en el siglo XVI. Algunas veces traduce —citándola, claro está— párrafos de la célebre guía turística inglesa *Handbook for Travellers in Spain,* de Richard Ford; y no es la primera ni la última vez que emplea este libro para poner de relieve sus descripciones del paisaje español. Similarmente cuando evoca cómo era un pueblo en el siglo XVI, entre otras, su fuente es *Relaciones topográficas* de los pueblos españoles, estudio comisionado por Felipe II en 1575. Por lo visto, Azorín manejaba mucho estos ocho tomos, ya que vienen citados muy a menudo desde *El alma castellana* (1900) hasta *Un pueblecito* (1916). Ahora bien, en el año 1905, las *Relaciones topográficas* estaban todavía inéditas y sólo se hallaban disponibles (en el manuscrito original) en la Biblioteca de El Escorial y en una copia del manuscrito en La Biblioteca de la Academia de la Historia[9]. Es de suponer, entonces, que en el caso de *La ruta de don Quijote* Azorín las hubiese leído antes de marcharse y que se llevase consigo apuntes sobre los lugares visitados.

Nos acordaremos de una de las escenas autobiográficas que repite Azorín en muchas ocasiones: la de sentarse delante de las cuartillas blancas entre las cuatro paredes y de contar la dificultad que experimenta en encontrar la inspiración necesaria. Se desarrolla esta "vivencia" en *Félix Vargas,* la novela de Azorín que trata precisamente del problema psicológico de crear; el protagonista-autor no puede gozar de la tranquilidad necesaria para *leer* a Santa Teresa. En *Mi vida,* de Federico Urales (Juan Montseny) hay un capítulo sobre Azorín y sus experiencias por la Mancha en 1905[10]. Urales, uno de los anarquistas más importantes del día, estaba molesto por el cambio tan radical del joven Azorín, y si es cierto que estas páginas son maliciosas y que no pasan de ser anecdóticas, tampoco dejan de ser curiosas en el contexto de mi argumento. Cuenta Urales que Azorín se había enemistado con tantos periodistas que uno, animado por otros, le seguía en su viaje por la ruta de Don Quijote para ver cómo trabajaba. Según el reportaje probablemente falso de Urales, Azorín bajaba del tren en cada pueblo y se dirigía en seguida a su alojamiento para leer. Viendo que no había biblioteca pública ni particular en Argamasilla, Azorín, desesperado, convoca al pueblo para pedirles ayuda; y se sostiene el siguiente diálogo inventado por Urales:

—¡Oye, tú! ¿Qué pretendes de nosotros?

—Que me inspiréis, contándome vuestras cuitas—contestó Azorín, viendo el cielo abierto.

—¿Que te inspiremos?

—Que me inspiréis, ya que no dispongo de libros que me inspiren.

—¿Sabes tú quién inspiró a Cervantes al escribir su inmortal libro?

—Los libros de caballería.

Y sigue Urales con su sátira que nos demuestra que sus contemporáneos también creían que Azorín escribía rodeado de libros. A pesar del encanto del estilo y del retorno al pasado literario e histórico expresado en estas páginas de Azorín, podemos deducir que la materia inspiradora brota de otros tomos cuidadosamente identificados por el autor.

En *El artista y el estilo* hallamos otras palabras de Azorín que nos hacen creer que, algunas veces, no sólo se interpone el libro entre la realidad —paisaje o pueblo— y la sensibilidad, sino que el proceso se reduce a leer-sentir-escribir, eliminando así la realidad exterior. Aquí se trata del relato de un imaginario bibliófilo (Azorín) y la contestación de tal bibliófilo en defensa de su procedimiento. "La lectura de esos volúmenes era para el bibliófilo algo más que una simple lectura; había *sentido* el libro; había vivido con él; había gozado de ese volumen roto, incompleto, y de todo el ambiente espiritual en que el libro se había formado. El esfuerzo, los sacrificios, la perseverancia, los fervores que le habían costado estos libros, habían hecho que la vida del bibliófilo estuviera ligada —íntima y cordialmente— a todos estos libros deteriorados y faltos." Y la respuesta del bibliófilo: "Los libros viejos han sido el placer de toda mi vida. Otros han construído una obra literaria valiéndose cómodamente de ediciones completas, bellas, colegiadas cuidadosomente por expertos eruditos. Yo he seguido una vía distinta: mi modesta obra se debe toda a un puro azar. Los otros, los maestros, sabían adónde iban; disponían de los materiales del trabajo a la hora deseada; no les faltaba nada;

podían trazar por adelantado el plan que habían de realizar. Yo, en cambio, no sabía nunca lo que había de depararme el azar. Mi erudición era precaria y adventicia. Los más afortundados efectos de mis libros se deben a la casualidad de haber encontrado en un puestecillo un determinado libro. Puedo decir que este o el otro capítulo de un libro mío —capítulos celebrados por la crítica— no existirían si tal día, en vez de hacer sol, hubiera llovido, y no hubiera yo podido dar el paseo que me permitió encontrar un libro en que basé la urdimbre de los tales capítulos. *Y no fragmentos, sino libros enteros que yo he escrito se deben al azar*."[11]

Otra vez, dentro de la vasta obra de Azorín, nos tropezamos con muchos ejemplos donde un volumen o una estampa se debe, por lo visto, "a la casualidad de haber encontrado en un puestecillo un determinado libro." Para ilustrar esto, nos detendremos en un análisis de *Un pueblecito* (1916), un ejemplo cabal. Nuestro escritor-lector empieza hablando del otoño, época de la feria de libros, y de cómo las palabras de un "libro clásico hacen surgir en nuestros espíritus visiones dilectas de Castilla". Y, efectivamente, por casualidad, en la feria, cae en sus manos la obra de un autor olvidado del siglo XVIII, el sacerdote Jacinto Bejarano Galavis y Nidos, que impulsa a Azorín a escribir. Se titula *Sentimientos patrióticos o conversaciones cristianas que un cura de aldea, verdadero amigo del país, inspira a sus feligreses. Se tienen los coloquios al fuego de la chimenea, en las noches de invierno. Los interlocutores son el cura, cirujano, sacristán, procurador y el tío Cacharro* (Madrid, 1791), dos tomos. Como bibliófilo entusiasta, Azorín nos describe la portada. El autor de *Un pueblecito* nos comunica dos detalles que conviene destacar: 1) que su propósito en escribir es sencillamente glosar las memorias del cura; y 2) que nunca ha estado en Riofrío de Avila (el pueblo tratado) ni piensa ir por miedo de estropear la imagen tan bella conseguida de su lectura. Ahora nos interesa ver cómo Azorín empleaba las páginas de Bejarano, que se pueden examinar en la Biblioteca Nacional o en la Biblioteca del Congreso de los Estados Unidos.

*Sentimientos patrióticos* consta de quince conversaciones sobre agricultura, política, teología, medicina, astrología, literatura y nobleza, en dos tomos de un total de un poco más de mil páginas. Bejarano es evidentemente un erudito ilustrado: habla bien de Carlos III, ha leído muy detenidamente a Feijóo y, en sus charlas con el tío Cacharro, defiende la actitud de un pensador entregado a la lectura. Después de haber pasado toda su vida en Madrid y en Salamanca, le destinaron al pueblo de Riofrío de Avila. Azorín cita y copia los tomos de Bejarano hasta tal punto que el resultado final de *Un pueblecito* es que el libro de Azorín consta de dos terceras partes del cura y de un tercio de Azorín, en párrafos que, expresando simpatía por el escritor del siglo XVIII, sirven para empalmar las citas. Sin embargo, lo escrito por Azorín no resume el pensamiento o las ideas de Bejarano, y a través de la lectura de *Un pueblecito* no puede uno indagar el propósito de *Sentimientos patrióticos.* Azorín sólo cita y comenta detalles que están de acuerdo con su sensibilidad artística. Aunque a Ortega, en su brillante estudio sobre *Un pueblecito, Azorín o los primores de lo vulgar,* no se le ocurre hablar de la inspiración libresca, contribuye a una comprensión del acto creador de Azorín al calificar el proceso de *sinfronismo,* un concepto de la filosofía de la Historia de Oswald Spengler que significa una coincidencia de sensibilidad, pensamiento y estilo entre escritores separados por el tiempo.

Bueno, Azorín se aprovecha de las páginas XIII, XIV y XX (sobre el estilo)[12] del prólogo; las páginas 1-3 (las estaciones del año), 7, 9, 30-31 (la lectura), 87-90 (pastores y labradores), 154-194 (relación histórico geográfica de Riofrío), 314, 333-337 (la lectura) del primer tomo; y las páginas 143 y 180 del segundo tomo. Como se notará, son temas favoritos de Azorín y representan palabras e ideas que *más siente.* Sin embargo, si se lee a Bejarano, saltan a la vista otros detalles que podrían tocar la cuerda de la sensibilidad azoriniana; y fijándonos en la escasez del empleo del segundo tomo, nos parece que la misma lectura de Azorín ha sido casual. Pero después de todo, al leer *Sentimientos patrióticos,* Azorín buscaba la inspiración y la encuentra, más que en ninguna parte, en la relación que le piden a Bejarano para incluir en el *Atlante español o descripción general, geográfica, cronológica e histórica de España* (Madrid, Imprenta Pantaleón Aznar, 1778). Bejarano la publica íntegra en *Sentimientos patrióticos* (I, 154-194) y Azorín la reproduce en *Un pueblecito,* en que ocupa casi la mitad de un tomito de unas 70 páginas. Como hemos visto antes con respecto a las *Relaciones topográficas,* Azorín ha debido de interesarse mucho en los diccionarios de geografía. Es en *Un pueblecito* donde declara que la geografía es la base del patriotismo; y habla de los diccionarios de Miñano y de Madoz, citando del último algunos datos sobre Riofrío de Avila. Antes de introducir en su texto la relación de Bejarano, Azorín nos da una historia de la publicación y de las críticas del *Atlante español,* y en medio de esta erudición, advertimos su predilección por una edición curiosa que tiene de las *Cartas persas* (Amsterdam-Leipzig, chez Arkstée et Merkus, 1769) en que hay dos capítulos sobre la geografía de España.

Al despedirse de su verdadero compañero en la creación, en el epílogo de *Un pueblecito,* Azorín le dirige a Bejarano las siguientes palabras: "¿Qué vamos a hacer —tú, yo y tantos otros— si no leemos a filósofos, poetas, literatos, autores de todo género y catadura? Leer: ése es nuestro sino. Tú crees que las montañas, esas montñas de Avila que te cierran el paso, son las que te tienen aprisionado. ¡Ah no, querido Galavis! La prisión es mucho más terrible. La prisión es nuestra modalidad intelectual; es nuestra inteligencia; son los libros. Cuando salgas de ahí, te encontrarás igualmente prisionero en Madrid o en Salamanca. Serás prisionero de los libros que tú amas tanto. De los libros somos prisioneros todos nosotros. Vivimos con ellos en comunión íntima y constante; a ellos amoldamos nuestro espíritu; sobre ellos fabricamos nuestros amores, nuestros odios, nuestras fantasías, nuestras esperanzas; un ambiente especial nos envuelve con nuestros libros. . . Y un día, cuando queremos romper este ambiente y esta marcha de nuestra vida; cuando queremos lanzarnos a gozar de otros aspectos del mundo, de otros distintos sabores de las cosas, vemos que no podemos." (*Obras completas,* III, 593.)

Lo que se ha hecho en los análisis de *La ruta de don Quijote* y de *Un pueblecito* se podría hacer —quizá en un grado menor— con casi todas las obras de ficción de Azorín antes de 1930; pero no sigo con la tarea, esperando haber dejado al lector convencido de que en general la inspiración haya sido principalmente libresca, y que en definitiva la realidad —una escena o un provinciano observados— sólo haya tenido un papel ancilar en su creación. Y creo conveniente decir que, en el mundo actual del arte en que las presiones de la historia exigen una fuerte humanización y uno se identifica más con la literatura neorealista y existencialista, la "vivencia" libresca de Azorín explica, hasta cierto punto, por qué hay menos interés vital en su obra que en la de otros escritores. No obstante, como un lector sensible y precisamente porque ha sido un "prisionero" de los libros, la contribución más duradera de Azorín a las letras españolas se encuentra en sus artículos de crítica literaria y en sus obras donde demuestra su propensión a "re-crear" los clásicos españoles.

## II

Queda señalado que Azorín fija su atención en detalles insignificantes del libro que tiene entre manos, y que ordena por medio de su sensibilidad las sensaciones recibidas de la lectura. Su crítica literaria, como es de suponer, sigue el mismo procedimiento: su imaginación le aleja a veces de una consideración estrictamente relacionada al autor u obra tratados. Sus interpretaciones no son en general las de las erudición académica, ni son de la escuela formalista. Se detiene en un párrafo o frase —en fin, un pormenor— y su imaginación florece: sueña con los paisajes, pueblos o habitantes de la España medieval o del siglo XVII, o recuerda otra lectura o sus propias observaciones. Pero a pesar de la aparente frivolidad de un enfoque ecléctico, su sensibilidad artística es aguda, y Azorín nos lleva lejos en el arte de leer. Nos preguntamos si el despertar de nuestras sensaciones o el identificar nuestro estado de ánimo con el del autor leído no es una experiencia tan valiosa como la de leer por conocimiento. No cabe duda de que la erudición ayuda, pero sólo si se filtra por las lentes de la sensibilidad. Azorín fue el primer español en reconocer este aspecto de la apreciación literaria, y con esta teoría a cuestas se acercó, con una intensidad que sólo había alcanzado antes Menéndez y Pelayo, a toda la literatura española.

No podemos subvalorar, como tantos lo han hecho, la influencia de la crítica impresionista de Azorín sobre las opiniones literarias más formales. Su asiduidad en traer ante el público el valor de los clásicos olvidados (y si suena paradójico el uso de este epíteto, describe adecuadamente el estado de los estudios literarios españoles durante las primeras décadas de este siglo) ha revolucionado más de una vez los juicios sancionados en los círculos académicos. De la importancia de Azorín como historiador de la literatura española, Carlos Clavería dice lo siguiente: "Y de este modo ha colaborado con los profesionales de la erudición y de la historia en las interpretaciones de nuestros clásicos, no sólo destacando la belleza de un paisaje de un primitivo o de un verso de Manrique o Garcilaso, o la función de un episodio de Cervantes o Alemán, o de una escena de una comedia del Siglo de Oro, sino adelantándose, en muchas ocasiones, en destacar el interés y sugerir la revalorización de ciertas obras del pasado español, a universitarios y académicos: ¿Quién como él supo ver la concreción de Berceo y la importancia del *Lazarillo de Tormes* en la historia del realismo español, y quién valoró ciertas desdeñadas *Novelas ejemplares*, y quién descubrió los secretos encantos del olvidado *Persiles*, y quién comprendió la significación trascendente de Larra, o el amor a las cosas de Galdós. . .? Y así podríamos, en páginas y más páginas, revisar al menudo todos sus escritos, y señalar, uno a uno, todos los aciertos en la interpretación de los clásicos que son conquistas definitivas en el conocimiento y comprensión de nuestra literatura. Se impone dar a Azorín, crítico, la importancia que tiene como juez de "valores literarios", como historiador de la literatura española"[13].

Y aquí no vamos a comprobar en detalle lo que dice el profesor Clavería, pero agregaremos que un estudio, por ejemplo, de las historias de literatura española, escritas antes y después de la labor crítica de Azorín, proporciona la evidencia de una influencia decisiva. En muchas ocasiones ha servido para combatir las opiniones de Menéndez y Pelayo, y no hay duda que ha contribuído enormemente a la restitución del valor de Fernando de Rojas, Gracián, Góngora, los llamados pre-románticos y muchos otros. Y si la crítica de Azorín ha sido en tan poco tiempo superada por la erudición, es innegable que ha hecho más por la revalorización de la literatura española que ningún otro contemporáneo[14].

Entre 1912 y 1915, Azorín publicó cuatro volúmenes de ensayos que pudiéramos llamar su manual de literatura española: *Lecturas españolas* (1912), *Clásicos y modernos* (1913), *Valores literarios* (1914) y *Al margen de los clásicos* (1915). Constan de artículos previamente publicados en periódicos; y en esta conexión vale recordar que Azorín *siempre* escribía su crítica literaria para los diarios más leídos del momento —hecho que explica la naturaleza elíptica y, hasta cierto punto, la casualidad de erudición que apoya sus valoraciones—. El primer tomo mencionado está dedicado a la literatura de los siglos XIX y XX, y el último a obras de la Edad Media y del Siglo de Oro.

Su propósito es volver a examinar con un nuevo criterio los juicios aceptados sobre las letras españolas (*Obras completas*, II, 533). Su entusiasmo por la tarea radica en la idea de que las obras maestras han sido sometidas a apreciaciones estáticas, y por eso equívocas, porque un clásico es un *clásico* debido precisamente a sus calidades dinámicas. He aquí una honda influencia de Nietzsche, un escritor a quien menciona muy a menudo Azorín y quien pesaba en el pensamiento del joven sociólogo Martínez Ruíz, pero cuyo impacto en el artista Azorín no se ha estudiado a fondo. Lo que Azorín se propone en estos ensayos es sencillamente una revisión de la tabla de valores literarios, y uno de los preceptos estéticos que aplica es la teoría nietzscheana de la vuelta eterna. El lector contemporáneo (Azorín) tropieza en el clásico con una descripción, un verso, un pensamiento o un personaje que toca su sensibilidad, una sensibilidad que por un instante les es común a ambos, lector y escritor, aunque estén formados en diferentes épocas históricas. Citamos del prefacio de la segunda edición de *Lecturas españolas*: "¿Qué es un autor clásico? Un autor clásico es un reflejo de nuestra sensibilidad moderna. La paradoja tiene su explicación: un autor clásico no será nada, es decir, no será clásico, si no refleja nuestra sensibilidad. Nos vemos en los clásicos a nosotros mismos. Por eso, los clásicos evolucionan; evolucionan según cambia y evoluciona la sensibilidad de las generaciones. Complemento de la anterior definición: un autor clásico es un autor que siempre se está formando." (*Obras completas*, II, 534). Y de ahí sigue, dice Azorín, igual que unamuno, que la posteridad, y no el autor, crea la obra. Esta declaración, claro está, se reduce a que el aprecio de una obra literaria cambia y evoluciona necesariamente según las circunstansias histórico-vitales del lector. Así es que una obra será interpretada o, mejor dicho, *sentida*, diferentemente en distintos momentos de la historia y por lectores condicionados momentáneamente por su particular estado psicológico (véase *Félix Vargas* para la influencia, ya comentada, que puede tener la psicología del lector-escritor sobre lo que escribe. Desde luego, se entiende que si un solo crítico con una orientación psicológica tan constante como la de Azorín asume esta postura al comentar todo el espectro de la literatura de un país tan complejo como España, la susodicha filosofía de la crítica literaria corre el riesgo de hacer las obras estudiadas vestirse de una uniformidad que en realidad no tienen —y tal es el caso de Azorín, crítico—. Muchas veces nos encontramos delante un artista y no un crítico, pero un crítico agudo siempre nos presenta este problema de duplicidad; y el resultado positivo es la eliminación de un prejuicio histórico que lleva a una vitalidad que tiene un importante significado para el lector actual. Nos conviene, entonces, considerar ahora las interpretaciones azorinianas de algunas obras de la literatura española, adelantándonos así hacia una comprensión más exacta de Azorín lector-escritor.

En 1912, cuando Azorín lanzó sus publicaciones concentradas sobre los clásicos españoles, el público no tenía acceso a ediciones no eruditas. Todavía no existían los *Clásicos Castellanos,* la colección Austral o las múltiples ediciones populares de Aguilar y Espasa-Calpe. Se leían las obras maestras o en la inmanejable edición decimonónica de la Biblioteca de Autores Españoles, o en ediciones extremadamente eruditas y caras —y la verdad del asunto es que apenas se leían. Los primeros tomos de los *Clásicos Castellanos,* dirigidos por Francisco Acebal y con la colaboración de los más eminentes miembros del Centro de Estudios Históricos —Menéndez Pidal, Américo Castro, Federico Onís, T. Navarro Tomás, José Montesinos, etc.—, acababan de aparecer a precios populares[15]. La crítica de Azorín se ocupa de estas nuevas ediciones, y en varios casos logró, a través de sus artículos de gran circulación, que se incluyese en la serie a un autor o una obra olvidada. En fin, hay que reconocer la importancia del papel de Azorín como popularizador de los clásicos, tanto para el público en general como para los investigadores.

La obra preferida por Azorín en la literatura medieval es *El libro de buen amor,* de Juan Ruiz, y no se conforma con la edición de Cejador (una edición que desgraciadamente todavía tenemos que aguantar): primero, por su enfoque enumerativo, es decir, la lista de datos y fechas como el principal material interpretativo; y más importante, porque Cejador insiste en que el arcipreste escribía para la edificación moral del lector: un ejemplo perfecto de las opiniones *estáticas* que lamenta tanto Azorín. Para nuestro crítico, *El libro de buen amor* se destaca entre las obras de su época por su descripción fiel de la vida del siglo XIV y por ser el protagonista un enamorado de la vida y de la acción. Sin embargo, Azorín se concentra en un detalle de la obra, los versos a la Virgen, para revelar el secreto del arte de Juan Ruiz. La inserción de las cantigas es representativa de la expresión del "genio castellano", el verdadero valor de la literatura española: la capacidad de oscilar entre el realismo y el idealismo, hasta fundirlos. El arcipreste, después de gozar de una existencia desaliñada, se da cuenta de que el tiempo borrará los placeres mundanos, y se aparta para meditar en silencio: "Juan Ruiz, jovial, es el primer poeta —creo que es el primero— que pone mano en mejilla; ademán de meditación, de tristeza. Este aparente gozador debió de sufrir mucho en silencio. En toda nuestra literatura mariana no había muchas obras superiores en fervor, en patético fervor, a las cantigas que Juan Ruiz dedica a la Reina de los Cielos. Después de tanto enamoricar, golosinar, berborretear, venimos a parar a esto: un poeta, en su prisión, medita con la mejilla puesta en la mano, y después escribe un canto magnífico a la Virgen María"[16].

Según el juicio de Azorín, la grandeza del siglo XVI español se debe tanto a la expresión de sus místicos como a las hazañas políticas e históricas; y opina que se puede aprender más sobre el carácter de España con la lectura de Santa Teresa, fray Luis de León y fray Luis de Granada que con el estudio de la historia. Se ha dicho que los místicos eran escapistas. Para Azorín la verdad es otra: comprendían y combatían la realidad cotidiana, pero porque se daban cuenta de la naturaleza pasajera de este mundo, buscaban un ideal eterno. Azorín escribe mucho sobre los místicos y es curioso notar que se ocupa casi exclusivamente de su prosa: la *Vida,* de Santa Teresa; *Los nombres de Cristo,* de fray Luis de León, y *El libro de la oración y meditación,* de fray Luis de Granada; al último lo compara con el *Quijote* por su universalidad. La emoción de fray Luis de Granada ante la Naturaleza se revela en sus repetidas descripciones de paisaje y en en su observación detenida de los detalles de la existencia diaria. Aunque fray Luis se demuestra íntimamente preocupado por el mal del hombre y del dinero y aunque menosprecia los conceptos establecidos en su día del honor y justicia, Azorín está más impresionado por su tolerancia, sinceridad y serenidad. El sentimiento de la fuerza destructiva del tiempo, fundido con su desencanto hacia el mundo exterior y su subsiguiente retiro de la vida social le llevaron a fray Luis a un sufrimiento interior, "el dolorido sentir", que afligió a Garcilaso, a los místicos en general y, podemos agregar, al mismo Azorín. Para Azorín, como hemos visto con respecto a Juan Ruiz, esta idoneidad para distanciarse benévolamente de un ambiente decadente y gozar de la naturaleza y de la soledad es la gran lección que da la literatura española: "Y esta distanciación, callada, discreta, sin agresividades, que un artista o un político pueden poner entre su persona y un mundo frívolo y corrompido; este desdén silencioso, afable, hacia las vanidades y ostentaciones de un poder caduco y frágil, es la alta e imperecedera lección que nos ofrecen los grandes místicos" (*Obras completas*, IV, 387-388). Pues bien, poseído en su juventud por ideas político-sociales agresivas, Azorín, influído por la lectura de Montaigne, personalizó su visión de los místicos y llegó a creer que la alianza del idealismo y del practicismo abogada por el krausismo, en su concepción pura, expresaba una síntesis admirable del espíritu español (*Obras completas*, II, 543-544).

Se sabe que Azorín está obsesionado por la vida y obra de Cervantes, y, como es natural, más específicamente por el *Quijote*. A cada paso en sus obras nos encontramos con artículos sobre el inmortal libro —comentario que culminará en la publicación de dos tomos extensos, *Con Cervantes* (1947) y *Con permiso de los cervantistas* (1948)—. La erudición de Azorín es realmente impresionante; ha manejado todas las biografías importantes de Cervantes desde la de Mayans (1737) hasta el estudio de Astrana Marín, *Vida ejemplar y heroica de Miguel de Cervantes* (1948-1954), y parece que ha leído la crítica más conocida de las obras de Cervantes. Azorín ha estudiado la historia de las interpretaciones de los libros cervantinos para vislumbrar la línea de evolución de la sensibilidad, y en su síntesis histórica de la crítica *seria* (para Azorín el adjetivo *seria* cuando califica la crítica literaria siempre tiene un sentido peyorativo) del siglo XVII dice que sólo se veía el *Quijote* como una parodia burlesca sin trascendencia de los libros de caballería; y que en el siglo XIX los eruditos estudiaban a Cervantes igual que otros habían hecho con Rabelais y Dante, como jurista, geógrafo o historiador. Pero según Azorín la erudición sólo puede servir de punto de arranque en la interpretación literaria: es lectura que estimula la imaginación, y que luego está transformada ante la reacción de la sensibilidad. Nuestro crítico se dirige por el deseo de una comprensión "psicológica" del *Quijote;* aspira a *sentir* la obra de Cervantes, a hacerla contemporánea: "... Poner en relación la realidad de hoy con la realidad pintada por Cervantes" (*Obras completas*, II, 938)[17].

Harían falta los románticos alemanes, y, sobre todo, Heine en el prólogo a una traducción del *Quijote* en 1837, para contrarrestar a los cervantistas y ver en el libro de Cervantes un reflejo de la sensibilidad moderna. Azorín insiste en que la filosofía de Don Quijote es la del pueblo: viene del pueblo y aspira a la aristorcracia a través de una defensa de la ley natural, una aristocracia incomprensible para la mentalidad del siglo XVII, pero la cual constituye un elemento fundamental y vital de la sociedad contemporánea. No obstante, esta idea le sirve a Azorín sólo de pretexto para volver a su interpretación algo monolítica de la literatura española. Mientras Américo Castro, en *El pensamiento de Cervantes* (obra en general muy admirada por Azorín), destaca la prudencia de Cervantes con respecto a la Inquisición, Azorín, al interpretar la actitud como un reflejo del afecto y respeto que sentía Cervantes por su amigo y protector, el cardenal-arzobispo de Toledo, da énfasis a las características humanas, más bien que políticas del escritor. Y así entiende Azorín todo el *Quijote*: Cervantes, aunque inspirado por la experiencia de la realidad, la observa —como los místicos— con una indiferencia serena que le permite trascender el conflicto temporal. Azorín ha escrito crítica sobre casi todos los episodios, personajes y aspectos del *Quijote*, pero vuelve con mucha frecuencia sobre la serie de capítulos que sitúan a Don Quijote en el palacio de los Duques, porque describen mejor la manera de ser del hidalgo que más ha sentido Azorín. Nuestro crítico alude a menudo a la necesidad de Don Quijote de apartarse para meditar después de los excesos de sus confrontaciones con la realidad; y su estancia con los Duques ejemplifica esta disposición de ánimo tan típica para Azorín. Acaba de sufrir la experiencia más humillante de su carrera, el gateamiento, pero la vida ordenada y cultural del palacio le ofrece un ambiente de descanso y de reflexión, y logra superar la crueldad de sus huéspedes. Su indiferencia y su idealismo, pues, se sobreponen a las desilusiones de la dura realidad.

No hay por qué detallar aquí el "re-descubrimiento" por Azorín del *Persiles,* ni de las *Rimas sacras* de Lope, ni de la obra de José Somoza o de Mor de Fuentes; ni vamos a comentar su crítica sobre Larra, Galdós y sus propios contemporáneos, ni su conocidísima definición de la Generación de 1898. Me he limitado a un esbozo de sus ideas sobre Juan Ruiz, los místicos y Cervantes, porque figuran entre los autores favoritos de Azorín y porque nos dejan con una clara indicación de cómo es su filosofía de crítica literaria en la práctica. En resumidas cuentas, basta decir que los elementos de la literatura española que destaca Azorín son los siguientes: un estilo espontáneo dictado por la sencillez y la precisión más bien que por la retórica; un interés en detalles vulgares o insignificantes que despiertan una emoción estética; descripciones de paisajes; y una melancolía profunda causada por la fugacidad de la realidad con que vivimos en intima comunión. Uno se da cuenta inmediatamente del hecho de que éstos también son los elementos principales de la prosa del propio Azorín. Es, sin duda, como indicó Ortega en su ensayo ya mencionado, un caso de *sinfronismo;* pero no un sinfronismo filosófico en que la prosa de Azorín nos sugiere, por casualidad, una tradición de sentimientos humanos ya conocida por nosotros: Azorín va directamente a otros libros en busca de los posibles orígenes de su sensibilidad artística. Así es que un estudio de la visión estética azoriniana de la literatura nos ayuda a comprender, a través de Azorín crítico-artista, la importancia del concepto de Azorín lector.

## III

Aún queda por discutir otra vertiente de la inspiración libresca del arte azoriniano: la de "re-crear" los clásicos de la literatura española. Además, como hemos demostrado ya con respecto a su crítica, en muchas obras de Azorín es difícil saber cuándo el crítico ha dejado de funcionar y el creador emprende la tarea. En fin, ya que los libros sirven de materia prima en ambos casos, muy pocas veces existe una clara línea de demarcación entre crítico y artista. Para mejor definir esta postura y enmarcarla en los años formativos de nuestro escritor recurriré a un ensayo de Oscar Wilde, un autor leído y citado por Azorín. En el diálogo *The Critic as an Artist* (1890), Wilde propone dos niveles de crítica literaria. En un nivel permite el análisis de una obra: ". . . the critic will be an interpreter, if he chooses. He can pass from the sympathetic impression of the work of art as a whole to an analysis or exposition of the work itself, and in this lower sphere, as I hold it to be, there are many delightful things to be said and done". Pero Wilde continúa diciendo que el artista verdaderamente sensible no concibe la vida o la belleza hechas de otras condiciones de las que él mismo ha seleccionado[18]. Gran parte de la crítica literaria de Azorín, comos hemos señalado, pertenece a esta categoría: evaluaciones en efecto dictadas por su propia sensibilidad estética.

En el nivel más alto, según Wilde, el crítico empleará la obra de arte como inspiración creadora, tal como el novelista o el pintor parte de la realidad visible o la emoción sentida: "The critic occupies the same position to the work of art that he criticizes as the artist does to the visible world of form and colour, or the unseen world of passion and of thought. He does not even require for the perfection of his art the finest materials. . . To an artist so creative as the critic, what does subject matter signify? No more and no less than it does to the novelist and the painter. Treatment is the test. There is nothing that has not in it suggestion or challenge." (*Ob. cit.*, pp. 152-153). Así es que el crítico-artista puede inspirarse en una obra para crear otra suya que no se parece necesariamente a la original. Y, efectivamente, la producción azoriniana que no llamaríamos puramente crítica incluye muchos escritos en que un autor o una obra de literatura española sugiere la visión de un paisaje, la descripción de un provinciano, la constitución psicológica de un protagonista, o la trama de una novela. Al escribir *Los pueblos* (1905), *España* (1909), *Castilla* (1912), *El Licenciado Vidriera o Tomás Rueda* (1915), *Don Juan* (1922), *Doña Inés* (1925), *El caballero inactual o Félix Vargas* (1928), Azorín se inspiró en Berceo, Juan Ruiz, *Lazarillo de Tormes, La Celestina,* Garcilaso, Santa Teresa, episodios de la vida de Cervantes, todas las *Novelas ejemplares,* el *Quijote,* en fin, casi todos los clásicos de la literatura española y muchos que no lo son.

En "Las nubes", una refundición de *La Celestina* incluída en *Castilla,* Azorín empieza: "Calixto y Melibea se casaron —como sabrá el lector si ha leído *La Celestina*— a pocos días de ser descubiertas las rebozadas entrevistas que tenían en el jardín". En la nueva versión la existencia de los amantes está ordenada, silenciosa, y están rodeados por la tranquilidad y la belleza de la huerta. Dentro de este ambiente idílico, Calixto está sentado en el balcón, "mano en mejilla" (como Juan Ruiz y el desconocido en "Una ciudad y un balcón", y tantos otros personajes de Azorín), contemplando las nubes, símbolo de la vida. "Vivir es ver volver", escribe Azorín, dando eco a la filosofía de Nietzsche. Calixto mira abajo a Alisa, su hija. De repente aparece un halcón y tras él surge un mancebo. Se detiene un momento para hablar con Alisa. Y Azorín cierra el relato: "Calixto le ve desde el carasol y adivina sus palabras". Manifestando su anhelo por la eternidad, el artista ha sacado la obra de Rojas de la violencia y la temporalidad de la situación de la España del siglo XV; y en seguida recordamos que Azorín lector ha procedido de una manera parecida en su adaptación de las memorias de Bejarano Galavis y que Azorín crítico ha visto el mismo elemento "eterno" en la obra de Juan Ruiz y Cervantes. Calixto observa el principio de *La Celestina* —un principio que Azorín convierte en final— desde su perspectiva fuera del tiempo; y Azorín sólo sugiere en las últimas líneas la posible tragedia del encuentro entre Alisa-Melibea y el joven mancebo. El nuevo Calixto es más sabio, es el "pequeño filósofo" que acepta con resignación la teoría de la Vuelta Eterna, la teoría cuyo descubrimiento enloqueció con desesperación a Nietzsche aquella noche de enero de 1889. Mano en mejilla, melancólico, Calixto-Azorín está perdido en la contemplación de la nubes, como si estuviera pensando en los versos de Garcilaso: "no me podrán quitar el dolorido sentir".

Esta viñeta es de las más características de Azorín, no sólo por la actitud filosófica expresada, sino también porque su inspiración, su materia artística, se basa en otro libro, un clásico de la literatura española; y fijándose en una serie de detalles, Azorín transforma la realidad *literaria* en una nueva creación. Fue la lectura de Nietzsche la que le animó a revalorar las opiniones literarias vigentes, y ahora el problema del Tiempo y su control sobre las emociones humanas, en forma de una suave tristeza producida por la Vuelta Eterna, llegan a ser clave en la estética de sus obras de ficción[19].

*El Licenciado Vidriera,* una novela corta publicada por Azorín en 1915 y una re-creación de la obra de Cervantes, es un ejemplo más revelador, porque Azorín sigue muy de cerca el argumento de la novela ejemplar sin omitir ningún detalle importante. Los cambios en su adaptación vienen en forma de adiciones y de una diferencia de psicología. Los cinco primeros capítulos describen la infancia y adolescencia de Tomás Rueda, el protagonista de Azorín. Todavía niño, el muchacho pierde a los padres, y está dado a una observación melancólica de la realidad. El tono de esta primera parte es muy parecido al de *Las confesiones de un pequeño filósofo,* la representación autobiográfica de las emociones del niño Azorín. El joven Rueda siente predilección por cosas insignificantes: techos, ventanas, arañas, etcétera; y lee con avidez, creando su mundo personal por medio de una lectura azarosa, hasta que es bastante mayor para tener un profesor. Su único maestro es un viejo soldado que ha estado en Italia y Flandes —es decir, Cervantes—, y con esto Azorín nos sugiere que sigue aprendiendo de libros. Es aquí donde recoge Azorín la narrativa de Cervantes, citando las primeras líneas, y en adelante las tramas de las dos obras son parecidas. Pero la semejanza no pasa de ser estructural; la caracterización psicológica de Azorín es totalmente distinta de la de Cervantes. Aunque el Tomás Rueda azoriniano toma el vino hechizador (en Cervantes, membrillo toledano), Azorín insinúa que ya se había enamorado de la dama desconocida. Y en vez de enloquecer, se le agudiza la sensibilidad melancólica y anhela la soledad y la meditación, no la fama de la Corte de Valladolid. Al final se marcha a Flandes, y no en búsqueda de la gloria militar, sino —y aquí vislumbramos huellas de 1898— para escapar de la brutalidad de España: "Me marcho, . . . y mi espíritu queda aquí. Me marcho porque hay aquí, en el ambiente, una violencia, una frivolidad, una agresividad, que me hacen un daño enorme. Cada día vivo más replegado sobre mí mismo. Veo lo que pudiera ser la realidad. . . y veo lo que es".

En la obra de Azorín no hay el juego tan logrado de Cervantes entre la locura y la cordura, entre la ilusión y la realidad; y a diferencia del novelista del Siglo de Oro, Azorín no cambia el nombre del personaje de Rodaja en el Licenciado Vidriera y, al final, en Tomás Rueda. Es siempre Tomás Rueda, constante en su médula psicológica desde la juventud a la madurez. De ahí viene, sin duda, el por qué Azorín cambió definitivamente el título de su obra a *Tomás Rueda* en la edición de 1941. Después de leer *Tomás Rueda* no podemos dejar de ver la unidad de Azorín lector-crítico-artista. A pesar de sus excesos de "locura", Azorín entrevé una subcorriente de sabiduría, indiferencia, soledad y melancolía que sale de vez en cuando a la superficie de los caracteres de Don Quijote y su comparte el Licenciado Vidriera. Es la última etapa del desarrollo del protagonista cervantino —cuando su nombre se convierte en Tomás Rueda— que más siente Azorín; y lo que ha hecho es reconstruir desde este punto final su juventud formativa, vistiéndole así de una nueva personalidad. La regresión a la infancia, en procedimiento inverso, es similar al desarrollo de la autobiografía del Azorín. Recordamos que en la trilogía de Antonio Azorín la primera novela trata de una personalidad ya madura e instruida con una visión de la realidad que es artísticamente objetiva; y en tal mundo la realidad predomina sobre el hombre. Mientras la última novela, que vuelve a su niñez en busca de la clave a su fantasía e imaginación, es simbólica del triunfo del artista sobre su material. Pero si hay un retroceso temporal, el tono espiritual asciende hacia un estado de serenidad, dominio y mesura[20]. Este concepto poético es fundamental en todo el arte de Azorín.

En conclusión, si comprendemos bien el problema de Azorín y la lectura, llegamos a la unidad de su arte —un arte que es esencialmente anti-realista y anti-realidad. La crisis del mundo contemporáneo no permite que la visión de la realidad sea monista porque la presión de la historia pide un subjetivismo fluctuante; y es más: el motivo creador de cualquier artista es el deseo de imponer orden en un universo que entiende como caótico. Azorín, pues, intenta un equilibrio entre las dos soluciones: la firmemente realista y la auténticamente mística, una insistencia en la solidez de la existencia externa y una aspiración metafísica de escapar más allá de los límites del tiempo y del espacio. El resultado es una visión eterna, o siempre presente, de la temporalidad a través de la percepción de ciertas sensaciones comunes, que son casi siempre sensaciones de sensaciones. Existen, por ejemplo, alusiones a los sentidos en la obra de Azorín, pero ya que su inspiración es libresca, raras veces vibra su arte con el tacto, olor, oído, o el movimiento. Sus sensaciones no son directas, sino filtradas por una sensibilidad (el órgano principal de su interpretación artística) que es hijo y padre de su "vivencia" libresca. En el sentido lógico de las ideas del tiempo y del espacio, podemos reducir la fórmula estética de Azorín a la *desorientación*. Destruye la forma de la "realidad" cuando se fija en un detalle insignificante o en algo normalmente ordinario y prosaico; y al yuxtaponer estas realidades sin importancia, forja un nuevo mundo. Si lo dicho se aproxima en términos generales a una descripción de la técnica azoriniana, le pudiéramos calificar de impresionista[21]. El Tiempo es el elemento del mundo exterior que suele producirnos angustia, pero Azorín, lector apasionado de Berkeley (*Doña Inés*), se da cuenta de que el Tiempo es un producto de la conciencia humana y por eso inexorablemente dependiente de nuestra voluntad. Nada es pasado si lo evocamos, porque, al recordarlo, lo hacemos presente. El Tiempo entonces no es ni más ni menos que *la idea del Tiempo*, y podemos convertir el pasado en presente, y, por proyección, el presente en futuro. No es en vano que Azorín deje volar el tiempo sobre un acontecimiento humano, como hace en "Una ciudad y un balcón", ni que el tiempo presente predomine en su uso verbal: funde el presente y el pasado con la intención de deshacer la fuerza destructiva del tiempo sideral y de crear una nueva realidad donde reinan una sensibilidad y un ritmo comunes[22].

¿Y dónde encuentra un artista soñador —tal como Azorín— el material para tejer la tela de las reacciones eternas del hombre ante el mundo físico que le cierra el paso? Los libros, desde luego, son los únicos documentos adecuados que tenemos para reconstruir la evolución de los sentimientos humanos; y quizá su modalidad vital de lector hace que la estética de Azorín sea la única factible para él. Además, Azorín es un determinista —un creyente (por lo menos artísticamente hablando) en el hombre condicionado por sus circunstancias—, y, puesto que su propia experiencia está determinada por su pasado y su ambiente, las únicas fuentes que satisfacen su añoranza por lo eterno son libros sobre España y los españoles. Así se explica su interés no sólo en la literatura española, sino también en las memorias, los libros de viaje, las guías turísticas y los diccionarios de geografía. El lector-escritor llega a lograr una perspectiva espacial —es decir, una visión atemporal en la cual todo está reducido a un presente perpetuo. Lo original de Azorín, entonces, es un arte concebido por una sola sensibilidad y que tiene un solo tema esencial, el cual está hondamente arraigado en su "vivencia" libresca[23].

E. I. F.
*Vassar College*
*Poughkeepsie, New York*

## *Notas*

*Este ensayo apareció con anterioridad en la revista *Cuadernos Hispanoamericanos,* nº 205 (enero 1967), 5-27. Incluído en la presente edición con el permiso del autor.

1. José Ortega y Gasset: "Azorín o primores de lo vulgar", *Obras Completas* (Madrid, Revista de Occidente, 1957), II, 157-191; Manuel Granell: *Estética de Azorín* (Madrid, Biblioteca Nueva, 1949); Carlos Clavería: "Sobre el tema del tiempo en Azorín", *Cinco estudios de literatura española moderna* (Salamanca, C.S.I.C., 1945), pp. 49-67; Heinrich Denner: *Das Stilproblem bei Azorín* (Zurich, Rasche and Cie., 1931); Marguerite Rand: *Castilla en Azorín* (Madrid, Revista de Occidente, 1956); Leon Livingstone: "The Pursuit of Form in the Novels of Azorín", PMLA, LXXVII (marzo 1962), 116-123; Robert E. Lott: *The Structure and Style of Azorín's El caballero inactual* (Athens, University of Georgia Press, 1963). Entre estos estudios no hay ninguno que trate de Azorín y la lectura.
2. Recuérdese el capítulo de Pedro Laín Entralgo: "España soñada", en *La generación del noventa y ocho* (Madrid, 1945).
3. Está claro que estas obras son reconstrucciones de épocas históricas en forma de ficción; y esta escapada hacia lo histórico también es patente en toda la prosa de Azorín.
4. Las palabras de Azorín que comprueban esta postura son inagotables y para no cansar la paciencia del lector sólo citaré algunas frases como muestras: "Azorín pasa toda la mañana leyendo, tomando notas" (*Antonio Azorín,* OC, I, 1012); "No es mucho lo que ando yo por estos paseos; inmediatamente regreso y me cuelo en el Ateneo o en la Biblioteca". (*Antonio Azorín,* OC, I, 1107); "¿Dónde he conocido yo a Canduela? ¿En alguna novela de Galdós? ¿En *El amigo Manso,* en *Lo prohibido,* en *El doctor Centeno,* en *Angel Guerra?*" (*Los pueblos,* OC, II, 189); "¿Habéis hojeado los *Caprichos,* del maestro Goya? ¿Recordáis aquellas figuras femeninas esbeltas, flexibles, ondulantes, serpenteantes? Yo tengo ante los ojos uno de estos *Caprichos*: es una maja de pie, al desgaire, con el peinado bajo, con la mantilla que llega hasta los ojos, con el abanico apoyado en la boca". (*Los pueblos,* OC, II, 197-198). La última cita es un ejemplo de cómo se inspira Azorín en cuadros o fotografías, lo cual es también corriente en su obra y de la misma índole que la inspiración libresca.
5. "José Martínez Ruiz (Sobre el anarquismo del futuro Azorín)", *Revista de Occidente,* núm. 36 (1966), 157-174.
6. Cfr. *Madrid,* OC, VI, 283-284.
7. Además de fragmentos de la novela publicados antes como cuadros y de resúmenes de anteriores colaboraciones periodísticas suyas, mencionaremos dos artículos de prensa, escritos por otros motivos, que se hallan intercalados en la novela: OC I, 827-831, publicado antes en *El Correo Español* (7-II-1902); pp. 923-927, publicado en *Mercurio* (III-1901). En las notas a nuestra edición de *La Voluntad* (Madrid, Castalia, 1969) documentamos esta práctica del novelista en gran detalle.
8. Véase el interensante trabajo de Anna Krause: *Azorín, The Little Philosopher* (Berkeley, University of California Publications in Modern Philology, 1948), o la traducción al español de Luis Rico Navarro: *Azorín, el pequeño filósofo*: *Indagaciones en el origen de una personalidad literaria* (Madrid, Espasa-Calpe, 1955), para la influencia de la lectura de Nietzsche y Montaigne sobre el pensamiento de Azorín.

9. *Relaciones topográficas de los pueblos de España hechas por iniciativa de Felipe II* (1575, 1578), 8 tomos pertenecientes a las provincias de Madrid, Toledo, Guadalajara, Cuenca, Ciudad Real, Cáceres y Badajoz. Según lo que he podido averiguar, sólo existen las siguientes publicaciones de las *Relaciones*: Juan Catalina García: *Relaciones de pueblos que pertenecen hoy a la provincia de Guadalajara*, en tomos 41-43 de *Memorial Histórico Español* (Madrid, Real Academia de la Historia, 1903-1905) ; *Relaciones topográficas de Guadalajara* (Madrid, Tip. de Fortsnét, 1912-1914), 2 tomos; un resumen de pueblos escogidos por Juan Ortega Rubio: *Relaciones topográficas de los pueblos de España hechas por iniciativa de Felipe II* (*Lo más interesante de ellos*) (Madrid, 1918) ; *Relaciones topográficas de los pueblos de la Diócesis de Cuenca* (Cuenca, Biblioteca Diocesana Conquense, 1927) ; y *Relaciones histórico-geográfico-estadísticas de los pueblos de España hechas por iniciativa de Felipe II* (Madrid, C.S.I.C., 1949-1963), 4 tomos: I, Madrid; II-IV, Toledo. Otros diccionarios histórico-geográficos citados por Azorín con frecuencia son los de Madoz y Miñano: *Nomenclátor de España* y *Atlante español*.
10. "Martínez Ruiz (Azorín) topa conmigo", *Mi vida* (Barcelona, s. a.) III, 107-120.
11. "La feria de los libros", *El artista y el estilo*, OC, VIII, 806-816, artículo escrito en el año 1924. Lo subrayado es mío.
12. Es aquí donde encontramos los únicos cambios por Azorín de la prosa del cura. En su prólogo, Bejarano habla del estilo de los discursos, y, de cuando en cuando, Azorín sustituye la palabra *estilo* por *discurso*.
13. "Azorín, intérprete de los clásicos", *Insula* (15 Octubre 1953).
14. Para un estudio ampliado de la crítica literaria de Azorín y su influencia se puede acudir a mi libro *Azorín as a Literary Critic* (New York, Hispanic Institute in the United States, 1962), de cuyas páginas me he aprovechado en esta sección por la necesidad de completar el ensayo sobre Azorín, lector.
15. El primer tomo de los *Clásicos Castellanos*, *Las moradas*, de Santa Teresa (con prólogo y notas de T. Navarro Tomás), salió en 1910, y en el año 1912 sólo se habían publicado cinco o seis más.
16. *El Pasado* (Madrid, 1955), pp. 14-15.
17. Para comparar la actitud de Unamuno, por cierto muy parecida, citamos del final del *Sentimiento trágico de la vida*: "Escribí aquel libro (*Vida de Don Quijote y Sancho*) para repensar el *Quijote* contra cervantistas y eruditos, para hacer obra de vida de lo que era y sigue para los más letra muerta. ¿Qué me importa lo que Cervantes quiso o no quiso poner allí y lo que realmente puso? Lo vivo es lo que yo allí descubro, pusiéralo o no Cervantes, lo que yo allí pongo y sobrepongo y sotopongo, y lo que ponemos allí todos". (*Ensayos*, Madrid, Aguilar, 1951, II, 1004).
18. *The Complete Works of Oscar Wilde* (Boston, 1910), IX, 170.
19. Según confesión de muchos autores de la generación de 1898, su conocimiento básico de Nietzsche fue conseguido a través de la lectura del libro *La philosophie de Nietzsche*, por Henrie Lichtenberger (París, 1892, traducido al castellano por primera vez en 1898) ; y no deja de ser interesante que el comentario más importante de este estudio parcial sobre las ideas de Nietzsche está dedicado a la revisión de los valores y a la Vuelta Eterna.

20. Cfr. el excelente artículo del profesor Livingstone ya citado. El esfuerzo artístico para recapturar la espontaneidad imaginativa de la niñez también es patente en la obra de Unamuno y Machado.
21. Cfr. el ya mencionado libro de Granell, sobre todo pp. 190-195.
22. Aunque tal vez con el estudio de la inspiración libresca de Azorín asuma un significado más claro, el tema del Tiempo en la obra de Azorín es mucho más complejo de lo que se ha presentado aquí. Véase sobre todo el estudio de Clavería; y Ortega y Gasset: *Ob cit.*, pp. 172-177; Granell: "El espacio y el tiempo", Ob. cit., pp. 149-171; Krause: "Tiempo y Eternidad", en trad. de la *Ob. cit.*, pp. 171-214; Rand: *Ob. cit.* pp. 707-714 y 720-728, y el artículo "Más notas sobre el Tiempo en Azorín", *Hispania*, vol. XLIX, núm. I (marzo 1966), 23-30; Miguel Enguídanos: "Azorín en busca del tiempo divinal", *Papeles de Son Armadans*, XV (octubre 1959), 13-32; F. Marco Merenciano: "La herida del tiempo en Azorín", *Tres ensayos psicológicos* (Valencia, Editorial Metis, 1949), pp. 117-132; Lott: *Ob. cit.*, pp. 35-39; Pilar de Madariaga: *Las novelas de Azorín* (tesis doctoral inédita, Middlebury College, USA), pp. 250-274.
23. No conviene dejar el tema de la inspiración libresca de Azorín sin sugerir su extensión a otros escritores de su generación. En una ponencia dada ante el primer Congreso Internacional de Hispanistas en Oxford, 1962, el profesor Germán Bleiberg señaló la lectura como un imperativo común de Azorín, Machado y Unamuno, y desarrolló la semejanza de su actitud estética ante las letras y la historia de España. Si también pensamos en los episodios librescos en las novelas de Baroja y Valle-Inclán, y en la enorme erudición de Unamuno, manifestándose en su arte en los postreros años en el *Cancionero*, poesía inspirada casi totalmente en la lectura (últimamente se ha descubierto en Salamanca una quincena de poemas escritos cada uno en la solapa del libro que le inspiró a Unamuno), se nos abre un nuevo camino, todavía no estudiado, en las letras españolas contemporáneas.

# Novel and Mirror
# The Eye and the I

By

Leon Livingstone

The mirror as a symbol of creative procedure in the modern novel is intimately associated with the oft-quoted statement in Stendhal's *Le Rouge et le noir* in 1830 that "un roman: c'est un miroir qu'on promène le long d'un chemin". This caption to one of the early chapters of the novel (I, 13) is, however, as the author himself indicates, not an original statement but is drawn from the writings of the 17th century historian, l'Abbé de Saint-Réal. What *is* authentically Stendhalian and significantly revealing is the more compromising expansion on this theme in Part II of the novel, where the author makes not only the concept but its ramifications his own:

> A novel is a mirror that moves along a high road. At one moment it reflects the blue of the skies, at another the mud of the quagmires in the road. The man who carries the mirror in his pack will be accused by you of being immoral! His mirror shows the mire and you blame the mirror! Blame rather by far that high road upon which the quagmire lies, and still more the inspector of roads who allows the water to stagnate and the quagmire to form (II, 19).[1]

The analogy of a mirror held up to nature offered to nineteenth century realists not only a perfectly satisfying interpretation of what Aristotle intended to convey by the term "imitation", but a symbol which also served ideally to express the limitations of the author's involvement; or rather, to establish the principle of authorial non-responsibility. The function of the novel was to reflect with objective impartiality the whole range of beauty and ugliness of external reality, but of a reality that was not of the artist's making nor his moral responsibility.

Such limitations, however, made the novelist's position an inflexible one, that of an observer who stood outside the world he observed, a world from which, in the act of observation—and indeed because of it—he was virtually excluded.

If one visualizes literally the structure of the apprehension of objective reality in its reflection in a mirror "carried" by an observer, it becomes immediately apparent that the observer is behind the mirror, that the mirror-novel actually performs a shielding function and, if it acts as an agent of faithful recreation, is no less a means of establishing a safe distance, both esthetic and moral, between the author and his world. This quality of compulsory detachment, as expressed in Stendhal's expository statement, is not merely figurative, but is exemplified in the impersonal approach of the nineteenth century novel and especially in the cult of "impassibility" of Flaubert, who declared his unqualified rejection of emotional or intellectual involvement in no uncertain terms: "I feel," he wrote in his *Correspondance*, "an invincible repugnance for putting down on paper something that is in my heart. I find even that the novelist does not have the right to express his opinion on anything. Has the good God ever uttered his opinion?"[2]

The general impression that the novelist's powers of observation in no sense extend to, nor in fact authorize, any personal commitment; that, in short, the observational process does not involve any essential function of the novelist's personality, is further conveyed by Stendhal's revealing choice of metaphor of the "man"—i.e. the novelist—who "carries the mirror in his pack", as if it were a question simply of a mechanical device, a technique, a tool to be utilized at will.[3] The adamant insistence on objective impartiality thus establishes a rigid separation between the observer and the observed, not only in the sense of not holding the novelist morally responsible for the reality he perceives but, to the degree that the process of observation is to be accomplished with a dispassionate detachment, of the act of perception not affecting the author's own private being. There is, in other words, no interaction between individual identity and the outer world. External reality is indifferent to the inner life of the observer, who in turn is unaffected by the operations of the universe he observes and recreates. It could not be otherwise for the realists, for to them the self is a problematic, enigmatic entity, an unknown quantity that cannot be taken as the measure of evaluation of reality. "Qu'est-ce que le moi? Je n'en sais rien", wrote Flaubert scornfully. "What is the I? I know nothing about it. I woke up one day on this earth, find myself bound to a body, to a character, to a fortune. Shall I really go and amuse myself trying to change them and yet forgetting to live? Self-deceit . . ."[4]

It is this wilful inhibition, this forced exclusion of self from the area of creation against which the twentieth century novelist has rebelled. Novelistic realism, he now believes, is not a simple matter of reduction to a unilateral perception by an impartial observer serenely situated outside of, and at a comfortable distance from, a fixed, static reality, but a consciousness which is turned both outward and inward upon itself, which functions, radar-like, as a projection of self-reflected attention directed to a dynamic, ever-changing, outer world. Consciousness is also inevitably self-consciousness. It is this quality of self-awareness, of self-examination, that has invaded contemporary literature. "What is so remarkable about the twentieth century and what marks it off from previous centuries," write J. Isaacs, "is the intense awareness of its own processes, and the innumerable attempts to describe what is happening, while it is still happening."[5]

This reorientation has been sponsored by new concepts of reality, new philosophic directions. In Spain, Ortega y Gasset's perspectivism had made of the interaction between the 'I' and the 'world' the basis of an interpretation of reality that was to supersede what he saw in the whole previous history of philosophy as an alternation between subjectivism and objectivism. Instead of these restrictive choices Ortega proposed a new total reality that made object and subject, body and soul, external reality and perceiving consciousness, reciprocal facets of a necessary, inclusive relationship. "¿Cuándo nos abriremos a la convicción", he wrote, "de que el ser definitivo del mundo no es materia ni es alma; no es cosa alguna determinada, sino una perspectiva?"[6] This relationship is a total one that rejects all exclusive or partial solutions: "Vamos, por fin, hacia una edad cuyo lema no puede ser: 'O lo uno o lo otro'—lema teatral, sólo aprovechable para gesticulaciones. El tiempo nuestro avanza con letras en las banderas: 'Lo uno y lo otro'. Integración. Síntesis. No amputaciones."[7] This concept rests on, and is supported by, a new philosophic position in the twentieth century, that of Husserlain phenomenology, which maintains that consciousness and the world are mutually dependent; that, on the one hand, consciousness cannot exist in isolation, in a void, but is always a "consciousness of", that is, of external reality; and that, on the other, the world as we perceive it is already a creation of the mind. All of which amounts, as one critic has summarized, to "the affirmation of the impossibility of the existence of an integral and crystallized, or fixed, personality capable of moving outside itself, in an also 'fixed' or independent outside reality."[8] Or, in other words, to the conviction that external reality and self are definable only in terms of each other, that both exist in a fluid relationship which is one of reciprocal influences. In this new existential structure, observation also involves self-observation. Now the observer is no longer on the outside of the cosmos looking in, as with the realists, but at the very center of the universe he contemplates, an integral part of it. The novel, too, has become a product of this new consciousness to become the self-reflective novel.

As the self and the world now mirror each other, as consciousness reflects and is reflected by the medium in which it operates, a new analogy is required to account for novelistic creation. The simple Stendhalian mirror no longer is adequate either as symbol or method for the creation of literary reality. The superseding of the nineteenth century view of the real by that of the twentieth century therefore involves substantial refinements in the concept of observation and literally-applied complications of the viewing mechanism. It is, indeed, precisely in the fundamental modulations of the mirror technique that can be best measured the distance of the new realism from the old.

In Spanish literature, the mention of novel and mirror in the twentieth century immediately brings to mind the Goyesque *esperpentos* of Valle-Inclán, those distorted reflections of reality in concave mirrors which, as the author himself informs us in *Luces de Bohemia* (Escena duodécima), are a means of representing the tragic distortion of cultural values, the "deformación grotesca de la civilización europea", in contemporary Spain. Tragic values demand an esthetic of the grotesque: "El sentido trágico de la vida española sólo puede darse con una estética sistemáticamente deformada". The misshapenness of the "fantoches", the bizarre, gesticulating puppet-figures of the *esperpento,* representing a world odious to its observer, is thus a

Spanish version of the universal theme of the alienation of modern man from his cosmos. As impersonal observation now yields to the expression of bitter disillusionment, the detachment counselled by Stendhal and Flaubert gives way to merciless satire. As a measure of the esthetic distance between these two types of mirrored reality, it is interesting to note Stendhal's disapproval of such procedures over a century before the apparition of the *esperpentos,* when he wrote sternly in his *Journal*: "one cannot appear straight in a wavy mirror."[9]

The simple adjustment of an element of distortion in a mirror held up to nature now thus permits the novelist to place the stamp of his personality on his vision of the world. The contemplation of reality is consequently no longer limited to the detached reflection of a world against which the artist is constrained from reacting, for the intentional deformation which is achieved through an "espejo que proyectaba las figuras con una geometría oblicua y disparatada", as Valle-Inclán defines his own method in *Tirano Banderas* (6a, parte, libro 3o., cap. 3), results in a vision that is a passionately judgmental one and as such diverges sharply from the realist's expressed hostility to the formulation of conclusions or emotional responses.[10]

This major departure from a dispassionate to an impassioned view of contemporary reality still does not represent an entire break with the tradition of detachment, however. While it offers a dramatic confirmation of the enlarged possibilities of the mirror technique in the novel, and despite its marked element of subjectivity, the personal quality of its biting irony, Valle-Inclán's mocking deprecation and repudiation of the world he sees around him establishes a wide moral and esthetic distance between creator and creation, a separation no less significant than that of the objective realist. In other words, the *esperpento's* structure continues basically to be that of reflections in a mirror held up to nature. If the mirror is concave, if the reflecting lens has been twisted somewhat out of shape, the images it captures, for all their distortion, are still fundamentally two-dimensional, in chronological sequence.

The limitations of direct reflections will continue to challenge the novelist, provoking Ramón Pérez de Ayala to seek more satisfying solutions to this specific problem. In *Belarmino y Apolonio* he proposes a remedy which consists essentially of breaking through the confinement of the novelist's "univision", that Cyclops-like restriction to the perception of reality that produces only successive, chronological images which do not fuse or overlap and are therefore lacking in the depth of human vision. The goal of "diaphenomenal" or "stereoscopic" vision demands the employment of two synchronized viewing apparatuses to duplicate the depth viewing of the two human eyes. This result Ayala seeks to achieve by the Cervantine device of two interacting protagonists—the dramatist and the philosopher— who represent contrasting and yet complementary approaches to reality as well as dual aspects of the individual self. The introvert Belarmino and the extrovert Apolonio are reciprocal aspects of each other, reverse mirror images of one total reality. The search for dual vision also prompts another type of Ayaline mirror reflection in *El curandero de su honra,* side-by-side parallel columns intended to be read simultaneously. The confrontation of husband and wife in what is labelled the "curso paralelo de dos vidas" ("Así fluía la vida de Tigre Juan" and "Así fluía la vida de Herminia") is an ingenious, but nonetheless impracticable, attempt to resolve the problem, for the attempt at simultaneity flounders in an inevitable alternation.

The same brilliant type of failure is the fate of a further attempt to overcome the limitations of univision through the use of dual reflectors. In the Spanish neo-realist novel of the mid-century—generally classified as "objectivist" or "behaviorist"—the novelist carries the interpretation of objectivity to its logical extreme of the complete elimination of the author, whose presence is replaced by the impersonal devices of the camera and the tape-recorder. The result is a new degree of intensification in the dilemma of depth versus objective superficiality. The problem of a complete and rigorous objectivity without a reduction to the flatness of surface impressions and static quality of impersonal vision, resolutely faced by the embattled Pérez de Ayala, is nowhere more graphically demonstrated in the new realists than in Rafael Sánchez Ferlosio's *El Jarama.* In this veritable *tour de force* of the observational procedure, the author attempts to achieve a projection in depth while adhering scrupulously to the demands of complete personal disengagement by resorting to a literal amplification of the viewing mechanism, duplicated to provide the illusion of life. Somewhat in the manner of present-day alternating television cameras focussing on a fixed subject— a seated speaker, an objet d'art— the novelist sets up two observation points from which to focus in rotating sequence on two groups of characters and two locales— the young people on the river bank, the older ones in the inn— to give, it not the actual sensation, at least hopefully the illusion of depth and movement. But depth is not accomplished by the mere distribution of alternately-observed parts, not simply by the addition of a second lens or listening apparatus but, as Ayala had clearly demonstrated, by the achievement of the synchronized coordination that provides stereoscopic profundity. *El Jarama,* despite the brilliance of its verism, is limited to the linear procedures of spatial alternation and chronological sequence. The restrictive nature of this type of divided perception is confirmed by the inacceptability within its framework of harmless procedures like the "flashback", standard even in conventional realism (it is one of Blasco Ibáñez's favorite devices), for the camera has no memory.[11]

It is not surprising that critics have seen in the behavioristic novel a reversion to type, a "realismo frío" that, however spectacular its virtuosity, is fundamentally a "nuevo costumbrismo", a regression to the external realism of the nineteenth century Spanish regional novel.

All of this is not to say, of course, that the realistic novel seeks to accomplish nothing more complex than an exact reproduction of the visible world. "Art is not Nature . . . it is not a matter of simply seeing," said Flaubert, "one must also arrange and fuse what one has seen."[12] And in any event, as the works of these writers often attest, what theory stipulates in the way of inhibitions practice tends to mollify, if not indeed to run counter to. In the case of the Spanish neo-realists, the element of social criticism, which extends from objective reporting to the most bitter of denunciations, is sufficient testimony to their personal involvement.

However, having made this proviso, one must also admit that there is a traditional interpretation of artistic realism which does identify authenticity with exact fidelity to the visible model. Somewhat before the emergence of the modern novel, Leonardo de Vinci had given an uncompromising formulation of this position. "That painting is most to be praised," he said, "which agrees most exactly with the things imitated." This interpretation received a resounding new impulse in the modern period with Théophile Gautier's celebrated proclamation that he was "un homme pour qui le monde extérieur existe." The position that realism is basically a simple visibility, free of psychological complications, is admirably stated in Baroja's *El mundo es ansí.* In a chapter of this novel pertinently titled "El mundo en las pupilas" (2a, parte, cap. 1), the author has one of the characters, resolutely stating her intention of restricting her reactions to what she calls "impresiones retinianas", proceed to declare: "aunque quisiera hablarte de mis sentimientos, no podría. . . Todas mis impresiones actuales están sólo en las pupilas, no han pasado más adentro." And then she adds with marked intentionality: "Procuro también que no pasen."

This tradition of uncomplicated realism has been revived with considerable flair in the contemporary proposals for a "nouveau roman", one which, if Alain Robbe-Grillet's demands are heeded, will give priority to the "non-significant" reality of objects perceived in their original state, undefiled by intellectual or emotional symbolic transformations,[13]; a novel which, as Nathalie Sarraute, another of the "new novelists", has urged, will not commit the error of involving itself in psychology, the very mention of which should be sufficient to cause any author to blush with shame.[14]

This type of *roman-spectacle* is one of pure surfaces, as Roland Barthes says, that is to say, a novel in which "L'intériorité est mise entre parenthèses." (*Critique,* juillet-août, 1954).

One would logically expect that any concept of reality hostile to this position of pure objectivity would automatically rule out the literal application of the mirror technique. Such is the case with an earlier experimenter with novelistic forms, the unorthodox Miguel de Unamuno. Says Augusto Pérez in *Niebla* (ch. 22): "una de las cosas que me da más pavor es quedarme mirándome al espejo, a solas, cuando nadie me ve. Acabo por dudar de mi propia existencia e imaginarme, viéndome como otro, que soy un sueño, un ente de ficción . . ." Unamuno, disdaining "el mundo de los llamados realistas"[15], eliminates from his *nivolas,* as he calls his unconventional novels, all traces of the material presence of the physical world. Not only are the outer trappings of visible reality of no ultimate significance— "La realidad no la constituyen las bambalinas, ni las decoraciones, ni el traje ni el paisaje, ni el mobiliario"—but reality cannot even be said to exist, for it is a constant becoming, a ceaseless creation of the individual will: "la realidad es una íntima, creativa y de voluntad." Not even the physical attributes of the character are therefore offered the reader of his novels, for the real man is a creation of the will to be, "el que uno quiere ser." But if this intra-subjectivity cannot be captured visibly, it is still the subject of its own contemplation and so, if mirrored self-reflection is repugnant to Unamuno, in fact because it is, art itself assumes the reflective function, as self-creation replaces introspection. The fundamental purpose of art, its very *raison d'être,* is to offer the creator, especially through the novel, the opportunity to discover his real self, that complex of the many potential selves—"todo un pueblo"—that one carries within him. For, says Unamuno, in the "Prologue" to *Tres novelas ejemplares*

> . . . todo hombre humano lleva dentro de sí las siete virtudes y sus siete opuestos vicios capitales: es orgulloso y humilde, glotón y sobrio, rijoso y casto, envidioso y caritativo, avaro y liberal, perezoso y diligente, iracundo y sufrido. Y saca de sí mismo lo mismo al tirano que al esclavo, al criminal que al santo, a Caín que a Abel.

These myriad potential selves not only are the mirrored subconsciousness of the author but they themselves mirror themselves in each other—Augusto Pérez in *Eugenia,* Joaquín Monegro in *Abel Sánchez* (reverse mirror reflections), and Unamuno in *San Manuel Bueno,* and indeed in all of his creations.

To say that through his characters the novelist discovers his true self—or selves—which escapes him in mere introspection is another way of saying that the novel —as all art— is itself a mirror, a darkened mirror on which appear the various representations of the novelist's hidden multiple nature. The famous mirror-scene of the interview between Unamuno and Augusto Pérez in *Niebla* is merely the crowning point of the process of self-confrontation which makes the novel a projection of the novelist and of itself, a novel of the creation of the novel.

That the self-reflective novel mirrors our inner selves is also the basic tenet of the novelistic esthetics of Azorín, in whom the aspiration to surpass the limitations of the physical world is matched by an equal cult of its sensory appeal. This dual attitude of materialism and mysticism is confirmed precisely in Azorín's fascination for, and yet resistence of, the technique of mirrored reflections. Not only does the mirror, in various guises, serve figuratively as a symbol of the creative process but it is applied literally in a wide range of optic techniques that demonstrate how, without violating objectivity, mirrored reflections can be used to express the most concrete aspects of the physical world and the innermost psychic experiences. And yet this obsession with the art of reflections will culminate in a hostility to the mirror itself.

Critics have frequently noted that the style of Azorín incorporates the procedures of the painter and the musician. But more basic and more dominant are those of optic viewing, in the art of a writer in whom the fundamental unit of creation is the image. "No hay más realidad que la imagen . . . La imagen lo es todo", Yuste had said in *La Voluntad* (la. parte, cap. 3). The image, the point of departure of the visual perception of reality in the novel, will also provide the generative force for the novel's structure, starting with the interplay of two images—" lucha ahora de dos imágenes, el germen de la novela futura"[16] —to the complication of these primary images and the secondary ones to which they give rise: "enmarañamiento de otras imágenes que surgen y hacen palidecer las dos fundamentales."[17] And all of this in a kind of *montage* of reflections piled on reflections, by a writer "tan cinematográfico aun antes de saber que lo era", as José María Valverde says so picturesquely.[18]

Azorín's constant recourse to mirror techniques brings into play a wide assortment of reflective devices, from the simplest of lenses to the complications of prismatic projectors. The most humble of these apparatuses is the modest, old-fashioned "Daguerrotype" camera in *Doña Inés* which on its fading silverplate recaptures the past and all its nostalgia, as well as its elusiveness and mystery:

> Un caballero madrileño, el señor Remisa, que ha traído de París un daguerrotipo . . . le ha hecho un retrato marvilloso a doña Inéz. Ha tenido a la señora tres minutos inmóvil, sin pestañear, delante del misterioso aparato, y luego, tras otros diez minutos de operaciones no menos misteriosas, le ha entregado una laminita de plata con su figura. El tiempo y el sol han borrado casi la imagen . . . No lograremos ver su figura en la brillante superficie si no vamos evitando con cuidado el reflejo de la luz (cap. 2).

At the other end of this scale is the futuristic, science-fictional polycromatic registration of ideas on a dull glass plate in *El libro de Levante*:

> Colores y sensaciones; matices finísimos e irisaciones de la sensibilidad. El religioso que piensa, con la pluma sobre el papel, y las diversas coloraciones que en el silencio profundo, silencio dramático del laboratorio, van apareciendo en la placa deslustrada como representación de sus ideas. Colores que van y vienen en revoltijo pintoresco; un color que avanza y anula al otro, y el otro que recobra su posición primera. El pensamiento, elaborándose en el cerebro (cap. 49).

All of these mirrored reflections, as Azorín reminds us, enable the novelist to capture not only external reality but the inner world of the spirit. This is the "Catóptrica de la materia y del espíritu", the catoptrics, or mirror-optics, of both mind and matter, which embraces the totality of human experience, from the macrocosmic to the microcosmic, from the self-reflection of the entire universe to the atomized inner consciousness of the artist in the period of creative gestation.

So dominant in Azorín's expression is the tendency to optic analogy that he will have recourse to it for such unlike purposes as historical retrospect and autobiographic self-evaluation. In the essay "Una ciudad y un balcón" in *Castilla,* in which he sets forth his theory that it is the identity of human emotions that provides the real continuity of history, it is through the device of a telescope, a magic apparatus for viewing the past, that Azorín communicates his idea. And in his *Memorias inmemoriales* (cap. 6, "Su estética"), seeking to explain the sensibility of "X", his literary double, in terms of the dual influences of the Levante and Castile in his background, Azorín once again resorts to a mirror image to convey his thought: "Había en su mente como dos espejos: en uno se reflejaba la ciudad nativa y en el otro la ciudad electiva . . ."

Analogy is literally translated into the employment of a wide variety of optic devices and procedures because these accord so well with the characteristic Azorinian manner of viewing reality, that fragmentation of the universal spectacle into isolated components, scenes held momentarily motionless, which, as they pass before our gaze, give a magic-lantern effect of the illusion of movement, of human reality. By manipulating the speed at which these individual frames are projected it becomes possible to suffuse the hard lines of material reality, to achieve that "fricción casi impalpable de la realidad con el ensueño", as Azorín will beautifully phrase it in *El caballero inactual* (cap. 30). In his early novels this effect is achieved by reducing the speed of the moving still-images to a slow motion, creating by this simple process an atmosphere of dreamlike ethereality which transforms the commonplace events of everyday life; at the other extreme, in the so-called "surrealist" novels, the action is greatly accelerated to conform to the operation of the subconscious in which, as the author says in *La isla sin aurora* (cap. 13), "En un minuto se deslizaba un siglo". Thus, in *Pueblo* (*Novela de los que trabajan y sufren*) the construction of a house takes only a few seconds: "Desde la nivelación del piso hasta la colocación de la última teja, cuatro, seis segundos . . . Vertiginoso el tiempo. Hacerse y deshacerse rapidísimo de la casita; una tolvanera velocísima e impetuosa."

These special effects are reinforced by additional techniques which further parallel the operation of the motion picture camera. As the setting is brought within range, the camera focusses in stages from far to near, from a wide-angle panorama to the closest of close-ups. This procedure, "la forma de ir enfocando con la palabra, lo mismo que el operador' con su máquina," as Pilar de Madariaga has noted,[19] is adopted in the opening setting of *Doña Inés*:

> La plazuela de San Javier es reducida, chiquita; su piso está en cuesta; se halla formada por el recodo de una callejuela. En lo alto, por encima de elevado tapial, asoma el follaje de una acacia. El sol muriente ilumina la verde hojarasca. Ya la luz solar ha ido subiendo por las fachadas. Tenue y suave, pone reflejos dorados y róseos en la blancura de los muros. Allá en lo empinado de una costanilla, en el esquinazo de una casa, en un tercer piso, los cristales de un balcón, al ser besados por el sol— en despedida hasta el día siguiente—, envían a lo lejos un vívido destello (cap. 1)

Similarly, in the first chapter of *Antonio Azorín* the author's gaze hovers first over the distant mountains, then dollies in on the house, centers on the study, roving in leisurely fashion over the ceiling, the panels on the wall, the furniture, and finally closes in on the figure of Antonio Azorín seated at his desk, observed at such close range that the very title of the book in his hands is legible. The opposite procedure is also followed in the novels, as the focus operates in reverse, from short to long range, from center to perimeter. In *El enfermo,* the center of attention shifts from the desk to the room to the house and finally to the town itself.[20]

All of these techniques—slow- and rapid-motion, the focussing from far to near and from near to far—show how it is possible to achieve a para-subjective transformation of time and space without having to resort to actual personal intervention on the author's part. By means of these mechanical operations external reality maintains intact its objective correlatives of time and space but also acquires an additional psychic dimension. How this dual reality applies in the case of time is thus explained by the author in *Salvadora de Olbena*: "el tiempo transcurre, transcurre en Olbena, como en todo el planeta; pero no es lo mismo el tiempo en todas partes; no es lo mismo en Olbena que en Madrid o en Londres. No es lo mismo para unas personas que para otras . . ." (cap. 17). As alongside objective, chronological time there exists a personal, psychochronic temporality, so also space has a double representation, the fixed, concrete dimensions of objective reality and the variable measurements which are in direct proportion to the psychic intensity of the observer. In *El caballero inactual* a letter which Félix Vargas has received inviting him to give a series of lectures lies unanswered, while the poet struggles to respond to this appeal and yet not abandon his present fever of artistic gestation. As the moment of decision continues to be postponed, the letter becomes a growing obsession in his mind, assuming proportionate increases in size. First it is a simple "mancha blanca"; then the "cuadradito blanco de la carta" becomes "un poco mayor", its "blancura . . . un poco más ancha", to the point that "su tamaño ha crecido; aparece ya como un vasto blancor." And finally "La carta está ya en todos los aposentos de la casa" (cap. 2).

As the optical image serves to reveal the double quality of the outer world, so the infinitely more complex inner world of the mind is also manifested through the device of mirrored reflections. In *El caballero inactual,* in which the focus of attention is the consciousness of the artist in the period of the novel's gestation, the mirror device is correspondingly adjusted to the demands of this greater complexity. Now it is not simply a lens or a mirror focussing on the outside world, but the mirror reflecting the mirror of the mind, reflections reflected interminably, as the author seeks to penetrate into the mystery of creation and of personality:

> La persona de Félix, entre líneas y volúmenes de luz . . . Ebriedad de líneas y de planos. Un haz cuadrilongo de viva luz solar entra por la ventana; va hacia un espejo; refleja en la brillante superficie; atraviesa el ámbito de la sala; en el fondo, una puertecita que se manifiesta en otro cuadrilongo claro, radiante. El espejo en su cuadrado brillador. Otro espejo reducido, en la penumbra, más lejos, irradia una luz tenue. Claridad del cielo; refracciones fúlgidas; luz directa; luz refleja; cuadrados que cortan cuadrados; volúmenes de fulgor; planos de las cosas; líneas que se cortan y tornan a cortar. Catóptrica de la materia y del espíritu (cap. 36).

The psychic as well as spatial significance of this complicated caroming of reflection off reflection is clearly indicated in the closing lines of this description. For what is involved is the physical setting as an externalization of the mental life—"Celajes sutilísimos de psicología", the author says (cap. 30)—of the subject, of all subjects, of "Félix y todos los seres pensantes", as thought is directed towards itself to elucidate the mystery of self, a self now fragmented into innumerable subselves. But it is a mystery that ultimately eludes us, for reflection *ad infinitum,* without ever being able to penetrate beyond appearances to the ultimate reality. The mirrored images are equally positive and negative: a projection of the manifold aspects of the physical world and of our psychic existence, and a confession of failure, as the myriad mirrors suddenly cease to be a source of wonder and delight and assume the terrible appearance of the forbidding walls of a prison:

> La complejidad de las sensaciones puede haber sido creada *ab oeterno* . . . No podemos ni ver ni imaginar siquiera el porqué de esa creación. La inteligencia humana, como ahora Félix está prisionero de las líneas que irrumpen y se reflejan, se halla cautiva. No puede salir de sí misma. No puede evadirse de la sensación.
>
> Planos de luz que se cruzan. Ebriedad de volúmenes. Del espejo a la penumbra lejana; en la lejanía, el fulgor del otro espejito. Cuadrado de ventana soleada; cuadro de luz de la puertecilla del fondo. Líneas que se cruzan; planos que interfieren. Y la sensación de la sensación que nos tiene prisioneros (idem).

The vast possibilities of catoptrics and also the limitations and frustrations to which it ultimately leads is thoroughly exemplified in *Doña Inés.* The role of the strategically-placed mirrors of *El caballero inactual* is here taken by the characters themselves, who reflect themselves in each other. Doña Inés and her uncle Pablo are kindred souls who see in each other revealed the secret of their own split personalities; while Tío Pablo and his wife, Tía Pompilia, are reverse reflections, contrary images which complement each other. And all of these characters are self-revelations of the author himself. These multiple mirror-characters are ranged in reciprocal contemplation in a world which is at the same time a reflection of itself, a self-imitative universe of eternal return. In his first tentative exposition of the Nietzschean theory of cosmic repetition, it is notable that Azorín has recourse precisely to the analogy of self-reflecting mirrors which produce an infinite series of projections. Says Yuste:

> A través del tiempo infinito, en las infinitas combinaciones del átomo incansable, acaso las formas se repitan; acaso las formas presentes vuelvan a ser, o estas presentes sean reproducción de otras en el infinito pretérito creadas. Y así tú y yo, siendo los mismos y distintos, como es la misma y distinta una idéntica imagen en dos espejos; así tú y yo acaso hayamos estado otra vez frente a frente en esta estancia, en este pueblo, en el planeta éste, conversando, como ahora conversamos, en una tarde de invierno, como esta tarde, mientras avanza el crepúsculo y el viento gime (la. Parte, cap. 3).

The two mirrors which reflect human reality to infinity, giant reflectors which embrace the totality of historical experience, are now cast on the scale of the universe itself. One mirror is the past, the other the future, a past and future which reflect each other in a ceaseless round in which beginning and end are interchangeable. The past is prologue, and so is the future. In this cosmic scheme the present lacks any identity of its own, but is merely the convergence of two eternities: time, the essence of reality, is only the intersection of a timeless past and a timeless future. This interweaving of past and future in the relentless cycle of the eternal return and the frustration to which it leads is exemplified in the lives of Doña Inés and Diego el de Garcillán.

We are first introduced to Doña Inés, recently emerged from a painful past (the rupture of her love affair with Don Juan) in her room in the *barrio de Segovia* in Madrid. The location itself is already an anticipation of the future which, in turn, is a repetition of the past. For it is precisely to Segovia that Inés will turn to assuage her grief and in Segovia that she will meet and desperately fall in love with the much younger Diego Lodares (his sobriquet "el de Garcillán", with its intentionally archaic flavor, suggests still another link with the distant past); but Segovia is the native region of Diego, one to which he had returned after spending his childhood and adolescence in Buenos Aires. And then it is to Buenos Aires that Doña Inés, after her ill-starred love affair with Diego, will flee to end her days. This criss-crossing of the past and future in the lives of Diego and Inés had furthermore already been announced in another mirror image. In her room in the *barrio de Segovia* in Madrid, Doña Inés's constant companion, "inseparable de sus ratos de espera en la estancia" (cap. 3), is an old, yellowing lithograph, whose faded condition and old-fashioned title establish it as a relic of a by-gone era. The lithograph carries the caption: "Confédération Argentine. Buenos Aires. Vue prise à vol d'oiseau." And the cycle of past-future and future-past does not end here. As the aged Doña Inés at the close of the novel looks out of the window of her school (a window scene that joins the end and the beginning of the novel[21]) at the young children playing there— a visual image of the past contemplating the future— perhaps, suggests the author, she can single out "otro futuro poeta, un niño huraño y silencioso, con un libro en la mano" ("Epílogo"), a repetition of the shy young Diego of years gone by, a renewal of the eternal recurrence.

The world within worlds of an eternally self-repetitive time is represented structurally in the novel both in content and form: in the coincidence of its action with that of the same action in the distant past, and by the interiorization of the novel-within-the-novel. Tío Pablo— in whom Azorín most directly reflects himself, the major image among these self-images— is the novelist within the novel, the narrator of the story of Doña Beatriz, a distant relative of Inés of centuries past. The story of Doña Beatriz and her troubadour lover is a repetition in advance of that of Inés and Diego, a story that, as it bridges the centuries, eliminates the passage of time and yet stresses its inexorable movement. The climax of the confluence of past and present occurs at the dramatic moment when Doña Inés, the physical double of Doña Beatriz, faces and actually touches the latter's effigy in the crypt of the Cathedral. This contemplation of her past self is for Inés a moment of confusion and terror: "Doña Inés no es ahora Doña Inés: es doña Beatriz. Y esos instantes en que ella camina por las naves en sombra los ha vivido ya en otra remota edad. El espanto la sobrecoge. No sabe ya ni dónde está ni en qué siglo vive" (cap. 37). The same type of self-contemplation, in more pleasing circumstances but with no less disturbing effect, is experienced by Doña Inés when her painted portrait bears a striking likeness to Doña Beatriz. Wherever she turns Doña Inés is faced with mirrored reflections.

The temporal confusion which unsettles Doña Inés is the cause of a peculiar sickness of Tío Pablo, his "mal de Hoffman", a hypersensitivity to impressions which not only enables, but actually compels, him to relive the past with striking vividness and to anticipate the future equally relentlessly, temporal dislocations which threaten his very identity. Tío Pablo's illness is an individual example of the effects of the temporal insecurity of a present which is only the by-product of the interplay of past and future. As a defense against this threat of the annihilation of one's personal identity, one can take refuge in complete surrender to all-absorbing activities which annul the sense of time. Thus Tío Pablo's dedication to the voluptuous cult of fleeting sensations, or the feverish social activity of the restless Tía Pompilia and her endless rearranging of furniture and energetic "saragüetes" (cap. 12). This attempt to shut out the painful awareness of an elusive and unstable present, a present which is constantly evading us to escape into the nothingness of a future past, is once again symbolized in a mirror image. This time it is the "cornucopias con el alinde cegado" (cap. 11), pier glasses with the edges sealed off or, as Azorín says more pointedly, with their quicksilver "blinded". These "Viejas cornucopias, con su azogue borroso" (cap. 13), blurred mirrors which reflect and yet refuse to see, symbolize both the substantiality of external reality and its quality of elusive mystery,[22] if not its outright unreality.

From the simple mirror of the hard-core realist of the nineteenth century, with its uncomplicated assessment of the reality of external appearances and cool unconcern for the role and nature of self, the novel has proceeded to a dazzling array of self-reflecting and non-reflecting mirrors which symbolize the simultaneous affirmation and denial of self and of the real world. The mirror, as a means of capturing and yet transcending the physical world of material appearances, is thus both admirable and repulsive. And so its unqualified acceptance by the novelist and its ubiquitous presence in his fiction culminates in the artist's final aspiration to reject it completely: "Arrojar lejos de sí el espejo terrible, romperlo en pedazos, librarse—suprema liberación—de su deseo de liberación."[23]

This ambivalent attitude is dramatically amplified in Camilo José Cela's recent novel, *Vísperas, festividad y octava de San Camilo del año 1936 en Madrid* (1969), in which the author resolutely accepts the challenge of self-confrontation that so horrified Unamuno. The drama of the narrator's pursuit of his idenity against the background of the gathering momentum of the Spanish Civil War of 1936-39, or of the preparation for the Civil War against the background of the narrator's pursuit of his identity—"Yo soy yo y mi circunstancia," said Ortega—revolves around a dual attitude of fascination for the mirror and hostility towards it:

> mírate en el espejo y escápate del espejo, es como un movimiento de gimnasia sueca, mírate en el espejo, escápate del espejo, mírate en el espejo, escápate del espejo y así hasta que ya no puedas con tu alma . . . (la. parte, cap. II).

This dual attitude is the result of the balance of forces of an inexorable and insatiable need for self-identification and an equal fear of facing the evidence of this scrutiny:

> Sí, mírate en el espejo, ¿por qué no te miras en el espejo?, ¿tienes miedo de mirarte en el espejo?, sí, tienes miedo de mirarte en el espejo . . . (2a. parte).

That is because the narrator, like all men, is a role-player trying to hide from himself the ugly truth of human nature, that "el hombre es un animal despreciable, miedoso e iracundo que se disfraza porque tiene miedo" (la. parte, cap. IV), as Pascual Duarte, the tiger disguised as a sacrificial lamb, had already shown us. Such attempts at self-deception are, however, doomed to failure:

> de nada vale que pretendas del espejo que te devuelva otra imagen que no sea la tuya propia, tú tienes que representar tu papel y al espejo no le queda otra salida

> que seguirte, que dibujarte con mucho naturalismo y crueldad . . . (2a. parte).

The novel proceeds to trace the evolution of self-reflection from direct (but already complicated) self-contemplation to a final urgent need to transcend relentless self-consciousness in peaceful oblivion.

The starting point of this quest is self-contemplation in the conventional mirror, a plane surface that provides a comfortable reflection whose invitation to complacency is nevertheless belied by the underlying terror of existence which shows through the image:

> Uno se ve en el espejo y se tutea incluso con confianza, el espejo no tiene marco, ni comienza ni acaba, o sí, sí tiene un marco primoroso dorado con paciencia y panes de oro pero la luna no es de buena calidad y la imagen que devuelve enseña las facciones amargas y desencajadas, pálidas y como de haber dormido mal, a lo mejor lo que sucede es que devuelve la atónita faz de un muerto todavía enmascarada con la careta del miedo a la muerte (la. parte, cap. 1).

The imperfection of this elemental reflection makes this kind of mirror quickly unserviceable:

> tu espejo plano de primoroso marco dorado con paciencia y panes de oro ya no te sirve (. . .) tuviste que romperlo en mil pedazos, lo probable es que alguien te lo haya roto a traición hace ya tiempo (3a. parte, cap. 1),

and so now it is replaced by the *espejo paralelepípedo,* a six-faced prism which, like Azorín's multiple mirrors, reflects the plurality of sub-selves into which self-consciousness has become fragmented. But, also as in the case of Azorín, the very brillance of these dazzling surfaces negates their usefulness:

> tu espejo paralelepipédico de bruñidas superficies ya no te sirve (. . .) tuviste que pintarle con pez negra sus seis bruñidas superficies (3a. parte, cap. 1).

The plane-surface mirror and the parallelepipedon, having served their purpose, are now replaced by an ovoid mirror in an attempt to return to the security of fetal existence:

> no es un espejo plano con su luna en mejores o peores condiciones y su marco de talla o su marquito de moldura el que te refleja las facciones amargas y desencajadas no, ni tampoco un espejo múltiple, seis espejos formando como una celda paralelepipédica en

> la que si das saltos hasta puedes verte las plantas de los pies con sus itinerarios no, es un epejo ovoide contigo en medio, un espejo que no tiene suelo ni techo ni paredes pero en el que tú flotas en su rara atmósfera dulzona, de sabor dulzón, como un feto en la matriz . . . (3a. parte, cap. 1).

But once again this is to no avail, for the ovoid mirror—or perhaps somewhat less than ovoid, rather more spherical ("parece que está algo menos que ovoide, así como más esférico", (3a. parte, cap. III)—like its predecessors is a substitution "a cambio de nada", as the narrator's world begins to crumble in flames around him in the onset of the bloody violence of the Civil War, and as it does so the mirror is transformed into a writhing monster, a Medusa:

> No, la señal no es buena, tu espejo es como una medusa sangrienta, ya no es un espejo plano, paralelepipédico, ovoide, casi esférico, ahora es un espejo en forma de medusa sangrienta, blando como una medusa y venenoso, también venenoso, tu espejo ya no refleja tu figura (. . .) la señal no es buena, hay demasiada sangre para tan poco corazón, el calendario aguanta mal que se le estruje, martes 21 de julio . . . (3a. parte, cap. III).

The parallel with the trajectory of the mirror in Azorín's fiction continues with the revelation of the futility of the mirror as the pursuit of identity is overwhelmed by the force of external events:

> tu espejo es una herramienta inútil que no es preciso romper, lo llamas espejo porque quieres y nadie to lo prohíbe pero no es un espejo, fíjate bien y verás como no es un espejo, es una medusa sangrienta de la que debes huir . . . (idem.)

And so once again the mirror finally becomes an obstacle, if not a mere illusion, which must be overcome at any cost, if one is to reach the final solution of peaceful oblivion:

> tú mírate en tu espejo que para eso lo tienes, tu espejo plano, paralelepipédico, ovoide, ligeramente esférico o en forma de medusa herida de muerte de medusa enferma y moribunda, huyo a través de tu espejo, no te importe romperlo todo ni romper con todo, más allá de tu espejo duerme el olvido y quién sabe si también la sonrisa en su cámara poblada de sombras chinescas . . . (idem.).

The mirror is thus an alternate revelation and negation of a self torn between affirmation and alienation, between surrender to the expansiveness of life and the attempt to resist the siren call of death—

mírate en el espejo, escápate del espejo.

Not only does it make one doubt his own existence, as Augusto Pérez had fearfully recognized, but, as Yuste had proclaimed in *La Voluntad* (parte 1a., cap. 25), it equates self-observation with extinction: "observar es sentirse vivir (. . .) Y sentirse vivir es sentir la muerte." If the mirror's constant fluctuation thus carries the promise of a rebirth of self it also is a recurrent sentence of death, of self-destruction.

In Vladimir Nabokov's *The Eye,* in which, the author tells us, "The theme (. . .) is the pursuit of an investigation which leads the protagonist through a hell of mirrors,"[24] the narrator in search of the identity of a character who turns out to be himself reflected in all the other characters, declares in his final lament:

> I do not exist: there exist but the thousands of mirrors that reflect me. With every acquaintance I make, the population of phantoms resembling me increases. Somewhere they live, somewhere they multiply. I alone do not exist.[25]

L. L.
*State University of New York at Buffalo*

## *Notes*

1. "Un roman est un miroir que se promène sur une grande route. Tantôt il reflète à vos yeux l'azur des cieux, tantôt la fange des bourbiers de la route. Et l'homme qui porte le miroir dans sa hotte sera par vous accusé d'être immoral! Son miroir montre la fange, et vous accusez le miroir! Accusez bien plutôt le grand chemin où est le bourbier, et plus encore l'inspecteur des routes qui laisse l'eau croupir et le bourbier se former."
2. *Correspondance,* Nov., 1853: "J'éprouve une répulsion invincible à mettre sur le papier quelque chose de mon coeur; je trouve même qu'un romancier n'a pas le droit d'exprimer son opinion sur quoi que ce soit. Est-ce que le Bon Dieu l'a jamais dite, son opinion?"
3. This is further confirmed by the detail of the change of Stendhal's text from the original "un miroir qu'on promène" to the more passive, less personal, "un miroir qui se promène."
4. *Rome, Naples et Florence,* "6 février": "Qu'est-ce que le moi? Je n'en sais rien. Je me suis un jour réveillé sur cette terre, je me trouve lié à un corps, à un caractère, à une fortune. Irai-je m'amuser vraiment à vouloir les changer, et cependant oublier de vivre? Duperie; je me soumets à leurs défauts."
5. *An Assessment of Twentieth Century Literature* (London, 1951), p. 15.
6. *Meditaciones del Quijote.*
7. *El Espectador,* V.
8. José Rubia Barcia, "The Esperpento: A New Novelistic Dimension", *Valle-Inclán Centennial Studies* (Austin, Texas, 1969), p. 71.
9. *Journal* (10 août, 1811) : "On ne peut paraitre droit dans un miroir ondulé."
10. Se note 2 (above) and cp. also the statement of Emile Zola in *Le roman expérimental* (Paris, 1890, p. 2) : "Souvent j'ai dit que nous n'avions pas á tirer une conclusion de nos oeuvres, et cela signifie que nos oeuvres portent leur conclusion en elles. Un expérimentateur n'a pas à conclure." And similarly in the case of Flaubert in whom, as one critic says, "La passion de tout comprendre ne pouvait aboutir qu'au refus de conclure" (Michel Raimond, *Le Roman depuis la Révolution* (N.Y.-St. Louis-San Francisco, 1967) (I, 85).
11. In the original version appears the phrase describing one of the characters: "Lucio siempre se sentaba de la misma manera". This is eliminated in subsequent editions.
12. *Correspondance* (ed. Louis Conard, Nouvelle édition augmentée, Paris, 1926-1933), VIII, 309: "L'Art n'est pas la Nature"; and idem, supp. IV, 52: "il ne s'agit pas seulement de voir, il faut arranger et fondre ce qu'on a vu."
13. See Alain Robbe-Grillet, *Pour un nouveau roman* (Paris, 1963), especially the chapter "Une voie pour le roman futur", and also, for an intepretation of the Spanish reaction to "reification", my essay "On Significant Reality: Robbe-Grillet, Celaya, Galdós", *Galdós Studies II* (London, 1974).
14. "Conversation et sous-conversation" *L'Ere du soupçon* (Paris, 1956) : "Le mot "psychologie" est un de ceux qu'aucun auteur aujourd' hui ne peut entendre prononcer à son sujet sans baisser les yeux et rougir".
15. "Prologo", *Tres novelas ejemplares.*
16. *El libro de Levante* (cap. 1).
17. idem.
18. *Azorín* (Barcelona, 1971), p. 185.

19. *Las novelas de Azorín, estudio de sus temas y de su técnica* (unpub. doctoral diss., Middlebury College, Vt., 1949), p. 151.
20. ibid., p. 175.
21. Cap. 1: "en un tercer piso, los cristales de un balcón, al ser besados por el sol— en despedida hasta el día siguiente— envían a lo lejos un vívido destello."
22. "Prólogo", *Tomás Rueda*: "El gran misterio está ínsito en la realidad misma que nos circuye y que no sabemos, ni sabe, en fin de cuentas, un Kant, lo que es, ni sabrá nunca, con su inteligencia limitada, el hombre."
23. *El caballero inactual,* cap. 38.
24. The *Eye* (N.Y., 1965; originally published in Russian in 1930), "Foreword".
25. Ibid., p. 113.

# El Sacrificio De Jose Martinez

Por

Manuel Longares

*El otro, allá en 1881, es uno, y yo, en 1941, soy otro. No tengo seguridad de que el otro sea el mismo de ahora.*

*El ensueño termina. El otro puede ser y no puede ser el mismo. Ese niño de 1881 puede ser o no ser el hombre de 1941. El tiempo todo lo cambia.*

*-¿Y dice usted que se llamaba Azorín? -No; el nombre era otro; esto era un seudónimo.*

Azorín

*El lector desprevenido queda inicialmente desorientado en el juego entre personaje, autor y seudónimo.*

José María Valverde

*De todos modos, Azorín es una realidad incuestionable: Maura pudiera ser una invención de Azorín.*

Antonio Machado

*Sería exagerado afirmar que nuestra relación es hostil; yo vivo, yo me dejo vivir para que Borges pueda tramar su literatura y esa literatura me justifica.*

Jorge Luis Borges

Vi cómo bajaban su féretro y me contaron su venida al mundo sobre una linotipia después de abundante trasfusión paterna. Porque me lo dijeron lo creí, pero no podía hacerme idea de que ese rostro de papiro fuera otra cosa que la compilación humana de muchos volúmenes de obras completas. Por eso tampoco estaba seguro de que hubiese muerto, porque nunca creí que estuviera vivo. La fábula que me contaron echa la culpa a los magos, una forma como otra cualquiera de abundar en las imágenes para soslayar la incertidumbre. Quien le hubiera conocido podría aportar certezas. Pero los testigos se escurren en la historia y no nos queda otro remedio que consultar los papeles. Aseguro que se trata de un crimen involuntario del que participó la circunstancia en lo que tiene de inmóvil, y la lasitud personal en lo que pueda representar de fuerza creadora. No están, sin embargo, precisamente asignados los culpables del drama.

Tenemos en la memoria la sangre de un extrovertido, alguien que, de vivir, sería hoy centenario, por nombre José Martínez. Recapacitando en la brevedad de su vida, puede afirmarse que peregrinó tras el hechizo y que en el recorrido dejó su jugo sin saber ciertamente por qué lo hacía. Había nacido rico, de familia conservadora y levantina, toda una promesa de seguridades. A los ocho años fué internado en un colegio próximo y cuando salió del encierro, dispuesto a enfrentarse a la lidia cotidiana, ese niño no era un hombre, era un enano roto. "No saquéis a este niño de este colegio uniformado y tétrico; no le apartéis del lado de estas señoras vestidas de negro y suspiradoras con quienes vive; no le proporcionéis, enfrascados vosotros en vuestros negocios o en vuestros placeres, esta alegría, esta distracción continua, este ejercitar ameno y no interrumpido de la comprensión que él necesita, y al cabo de unos años todos estos breves, fugaces minutos de tedio, habrán entenebrecido su espíritu y pesarán para siempre, a lo largo de toda su vida, como una abrumadora e insacudible losa de plomo. La deformación del carácter se habrá efectuado irremediablemente, habréis matado a un hombre que continúa viviendo". Creyéndose ancho y profundo, completo de vida, rebosante de actividad, está sometido al proceso de la carcoma: viendo ante sí la posibilidad del mundo, el mundo va recortándole su trayectoria, y la incógnita de llegar paralizará su movimiento. ¿Qué hay que hacer cuando no apetece hacer? Tendréis un hombre que reniega de su tiempo y tiene fe en reparaciones milenarias. En vez de enseñarle a caminar por unas relativas firmezas, le han introducido tan firmemente en la inseguridad, que su personal destino es tan borroso como incierto el mundo que le rodea. Y en su necesidad de comprender para equilibrar su realidad, recurre al ideal. A partir de ese momento, su vida es una apelación al conjuro. No puede negársele que se desgarre persiguiendo lo que desconfía hallar. Pero tampoco debe dudarse de su tesón. Polemizó desde los periodicos, se inscribió en el federalismo, rechazó la moral, la propiedad, la ley. Vibraba con sus negaciones para afirmarse en la posibilidad de intentarlas y, en la búsqueda de un modelo de conducta que reconciliara su íntima desavenencia, se inventó un torrente interior para exhalar la vida que se le escapaba cada vez que acometía. Así se desangró paulatinamente en un doble combate: contra la realidad que le oprimía y en feroz pesquisa de adivinar si, obrando de esta manera, realizaba su destino. Ese momento común en la vida de todo mortal, caracterizado por la ferocidad con que se intenta domesticar el entorno, fué en la trayectoria de José Martínez tan largo como su prolongado derramamiento y, por otra parte, tan poco agradecido como estéril. Cuando José Martínez encontró la muerte en el mismo cogollito neoclásico de la irregular plaza que sintiera sus pasos juveniles, el recuerdo de su pasado únicamente inquietaba a los hijos de la izquierda rebelde y además parecía no haber transcurrido ni un minuto entre la lejana fecha de su juventud y ésta de su entierro. Si seguían vigentes sus denuncias, también continuaba dominando la marrana derecha, y aunque las generaciones se habían sucedido, ambos bandos creaban prosélitos y, en resumen, el entierro del sacrificado era símbolo de lo perdurable. ¡Qué sólida persistencia de soberbios ejemplares con mando en plaza, dolorosas comitivas perfectamente dibujadas en su impasible ademán! ¡Cuántas tierras reunidas en aquel trozo de un Madrid doncel para negar, recelosos, un pedazo de terreno donde sepultar a aquél que pecó contra su predominio cuando era joven! ¡Qué insolencia de abrigos y afeitados rostros allí convocados por obra y gracia de aquel difunto versátil que en el último momento se inclinó a acatar el fatídico penalty-gol con el que conservaban la victoria aquellos conservadores! Aunque las apariencias se transformaran, era lícito suponer en el cambio móviles más complejos porque aquél joven de una sola pieza al que progresivamente desmenuzaron los sepultureros de ilusiones hasta convertirle en maduro asentidor de las mentiras que antes combatiera, ya había desaparecido del terreno de juego en un suicidio voluntario. *Cándido* lo certifica y lo corrobora *Ahrimán.* José Martínez es un desangrado de la pluma con momentáneos trastornos emocionales. Le vienen estas recaídas cuando advierte su debilidad interna, exactamente cuando se descorazona. Segrega entonces la oportuna concha que le libra de las miradas acusadoras del entorno y traiciona la circunstancia para refugiarse en el ideal. Ya en esta conducta podemos encontrar la clave que nos habrá de conducir a la explicación deseada. En esos instantes de ofuscamiento la fijación no existe para José Martínez. Es otro el que la siente. Es *Cándido* o *Ahrimán* la fugaz encarnadura de su posible destino. Y cuando José Martínez se esfume, *Azorín* será el reposo del guerrero. En el seudónimo, José Martínez encuentra un parapeto. Desde el seudónimo no ataca ni recibe diatribas. Es como un disfraz agradable de inmaculada cortesía. Pero al ocultarse en el seudónimo, José Martínez se revela a sí mismo. Su gran mérito de entonces reside en sobreponerse a la engañosa sirena, recuperar en el corazón los latidos del combate, olvidar el ideal, abandonar la coraza, continuar luchando contra el país. La debilidad de su ánimo no le impide proclamar con alegría la firmeza de sus convicciones. Conscientemente deja que la época absorba su vida, pero un íntimo resorte evita que se fusionen. No pelea, por tanto, cuerpo a cuerpo; involuntariamente se distancia. Responde este alejamiento a la herida que sufriera en el choque con el internado. Porque la entrega que él ofrecía fué correspondida con el encierro; al adquirir la posibilidad de comprender lo que pasaba, los enfrentamientos sucesivos le reproducirán esa sagrada imagen de un niño que llora al entender que no entiende, y, lejos de combatirla al atacarles, la resguarda para que no se lastime. En sus paseos por la ciudad donde encontrará la muerte anda partido y descabalado por esa contradicción; progresivamente su denuncia es la hiel que mana de aquel primer contacto no suturado. Conforme avance su vida en el tiempo, y aunque prosiga sin tregua la batalla, a la lucha contra los otros se suma la que mantiene por no dejar pasar ese monstruo interior que amenaza anegarlo. Los dos combates, finalmente, se encuentran en un impreciso lamento. Llega a un punto en que el movimiento cansa tanto como la desgana. Y cuando regresa a su tierra el hidalgo, tras su aventura madrileña, el anarquista literario es un vencido de sí mismo. Hay en su pueblo un personaje, encarnación anticipada de ese sollozo interior. Se llama Antonio Azorín. José Martínez y Antonio Azorín son el punto de engarce de un drama personal que enfrenta a dos hombres: "Hay el hombre voluntad, casi muerto, casi deshecho en copiosas lecturas, en largas soledades, en minuciosos autoanálisis"; está también el hombre reflexión. La simultánea influencia de ambos produce "un autómata, un muñeco sin iniciativas. . . ; yo soy, sucesivamente, un hombre afable, un hombre huraño, un luchador enérgico, un desesperanzado, un creyente, un escéptico". Es una de esas tardes en que Martínez y Azorín salen a pasear cuando reciben la visita de los magos. Traen un carnet de identidad para que José Martínez pueda contemplarse integrado. Y ese carnet supone una definitiva elección. Mucho antes de iniciarse este aprendiz en los secretos de la escritura, cuando un ropaje telúrico y una leyenda falaz convierten en misterio lo que no es sino dificultad de ejercicio, ha comprendido que seguir su estrella es renunciar a vivir. Si pacta con el hechizo, los magos que conocen perfectamente su trabajo y saben qué frutos da su siembra, comenzarán a hacerle padecer. Si decide integrarse en la literatura, quedará encantado y muerto para la vida, será a partir de su decisión un extraño buceador de alianzas disímiles, fascinado tras la búsqueda de la palabra precisa. Ha consumido el bebedizo en un segundo y ya andará loco tras el sabor aquél, ajeno a su circustancia, prisonero de la trampa. El ya consagrado a la literatura sólo descansará en el ejercicio de su trabajo y, sísifo de la palabra, intentará la locura de recomponer el brebaje que en un instante poseyera. Conforme crezca en volumen su obra incompleta, será su compañía la insatisfacción. En perpetuo monólogo con la locura, despedazada la emotividad por la semilla de los magos, ha roto con los espejos y cada cristal encontrado es un rompecabezas de sí mismo. Por eso cuando pretenda rehacer su figura, estará fabricando un personaje que es el seudónimo de su vida. Ese hijo paralelo —un narcisco deshojarse a la búsqueda del tiempo perdido —que escupa a fuerza de desgarrar su intimidad, es el ilusionado refugio que edifica para justificar su derrota ante el mundo. Tiene que abandonar su época para dar paso a ese niño que naciera en su primera herida, el niño que ya embaraza sus movimientos de luchador. Tiene que perder el combate en el hastío de la retirada y recordar en su último tango al amigo aquél con el que apenas necesitó hablar porque se complementaban, y en cuya amistad no influyó la muerte de José Martínez.

Se conocieron en Madrid, un día de 1900. Los dos habían publicado ese año un libro. Se titulaba el del amigo *Vidas sombrías,* y el de José Martínez *El alma castellana.* El oficio madrileño de José Martínez, antes de la visita de los magos, era el de crítico pero su padecimiento estaba en la literatura. Cuando en uno de sus momentos de obcecado, traspasado a su disfraz de *Ahrimán,* escribiera José Martínez "es mal de nuestro siglo, así como en los pasados lo fué la credulidad cerrada, la confianza excesiva en un *ideal,* muerto para nosotros, que no creemos en nada o creemos sólo por fuera, que es peor", germinaba en el pensamiento de su amigo idéntico parecer posteriormente expuesto en *Vidas Sombrías*: "no quiero derechos, ni preeminencias, ni placeres; quiero un ideal a donde dirigir mis ojos turbios por la tristeza; un ideal en donde pueda descansar mi alma herida y fatigada por las impurezas de la vida". Pío Baroja y José Martínez estaban de a acuerdo antes de encontrarse. Nos es conocida la trayectoria de José Martínez. Baroja llegaba a la literatura tras un aprendizaje árido, oscuro, desalentador, todo lo contrario de su amigo, reconocido, disputado, célebre. Pero Baroja había sobrevivido a las tentaciones sin los habituales desfallecimientos de José Martínez. Mucho antes de que éste fuera visitado por los magos, Baroja los había recibido en su casa. La adversa fortuna o la estúpida justicia divertía sus papeles. Paradójicamente, José Martínez estaba instalado en un oficio sin las correspondientes credenciales de que disponía Baroja. Contrariamente a lo que se supusiera, el aprendiz Baroja era un escritor consagrado, y el consagrado José Martínez era un aprendiz de escritor. La unánimemente reconocida promesa de José Martínez no estaba todavía en la literatura, le quedaban lejos aquellos magos de los que Baroja nada ignoraba mientras dirigía una tahona de pan. Todos asegurarían que José Martínez había nacido para el arte de la palabra, ofuscados por la conducta periodística y los libros publicados, en tanto que Baroja, médico y panadero, aspirante a colocar artículos en los periódicos, semejaba el que se hacía para el arte. Ninguno de los dos había nacido para algo, pero Baroja era ya el escritor que José Martínez aspiraba a ser. Intimaba éste con Baroja cuando, a punto de descomponerse en Azorín y encontrar su destino, seguía siendo José Martínez, ya definitivamente descarriado de su experiencia vital y Baroja era un poco su hermano mayor, errante también y sin plan, porque escribir es un no hacer, aunque con el camino decidido, a diferencia de José Martínez, sin trayectoria precisa. En sus paseos, el intercambio de esta fundamental diferencia consolidaría su amistad, afianzada por numerosas semejanzas: parecían dos viejos siendo relativamente jóvenes; ninguno de los dos tenía fuerzas para levantarse, de tanta vida como acumulaban. Procedían del siglo de las luces y llegaban ciegos a terminarlo. Todo les confundía y desorientaba: apasionados del hastío, eran románticos, conmovidos por la justica, desfallecientes al comprobar la imposibilidad de ejercerla. Su vida desequilibrada se protegía con la literatura. Navegaban a la deriva escribiendo a ratos, encontrando lagos de soledad, y todo el tiempo por montera para satisfacerse. Conversaban en un monólogo de Baroja que para José Martínez era el desmoronamiento de su vida reciente. En seguida se supieron y necesitaron un paisaje que no les rechazara. Toledo fué el lugar. Volvieron compenetrados a una tarea de fundadores de revistas poco duraderas y manifiestos efímeros. En Toledo se habían escrito para sellar su amistad. Baroja sólo necesitó un libro: *Camino de Perfección.* José Martínez explicó su disolución en dos novelas: *Diario de un Enfermo* y *La Voluntad.* Poco después, el 28 de enero de 1904, la vida de José Martínez se extinguía sobre una linotipia desangrándose en *Azorín,* agradeciendo de esta forma a aquél amigo que había removido su marasmo, su generosa deferencia. Fijo, yerto, silencioso, permanecía para siempre el periodista José Martínez, el luchador de la palabra, terco golpeador de conciencias, agitador de un estado de ánimo colectivo que cumplió brevemente con su circunstancia sin convertirse en titán por haber nacido español, pocacosa, frustrado, entorpecido y visionario, "un hombre que en vez de vivir en su época, plenamente adaptado a las circunstancias del presente, buenas o malas, gozando como puede de ellas, sin plañidos y sin añoranzas, forcejea por vivir en una vida que no es la suya, hace esfuerzos dolorosos por apartarse del ambiente que le rodea, se entristece, lanza súplicas y gemidos, sacrifica, en resolución, todo su presente, a un ideal inasequible o a un devenir remoto". El futuro de José Martínez es Azorín. Queda desembarazado de su pesada carga por un mágico hechicero. *Cándido* y *Ahrimán* son sus padrinos de bautizo. Llega un telegrama de felicitación desde Londres firmado por el doctor Jekyll y otro de condolencia, desde Alemania, a cargo del lobo estepario. Borges, siempre correcto e impuntual, acude tardío con una corona de diminutos espejos que reflejan sus violetas preferidas. Azorín ha nacido loco y llora porque su padre ha muerto. Se respira un ambiente monacal en el que acabaran de formularse votos perpetuos. Borges se acerca al neófito sin verle porque se ha quedado ciego de tanto mirarse al espejo.

Reconoce al tacto que Azorín ha nacido muerto a diferencia de su padre al que le fueron quitando la vida. Se respira ya el secreto control de la literatura. Sabe Azorín que su herencia es desolación cuando toca la sangre que le ha traído a este mundo. Sabe Azorín que le han hecho en silencio, mediante ese rito de prostitución que cristaliza en el doloroso placer de la palabra, continuamente visitada por el amante nocturno que se fabrica en la impostura, el que crea un desdoblamiento con el interlocutor ciego, sordo, insípido, sin olfato y con tacto. Hay en el testamento de José Martínez el roce contínuo con esa epidermis vislumbrada que iluminaron para siempre los magos, la piel del que desde su infancia tan bien le quiso que le hizo llorar. Para que Azorín saliera puro, su padre tuvo que mancharse. José Martínez sacrificó lo abstracto de su quimera para que Azorín naciera concreto y determinado. Pero el limpio nacimiento de Azorín —y cuando se mira al espejo lo descubre— procede de un pecado original. Le ha transmitido su padre el dolor, la insatisfacción, la rebeldía, el desfallecimiento. Toda la vida de José Martínez es Azorín que, si no nace vivo, es porque su padre agotó toda su sangre en encontrarle. Por eso Azorín es algo más que la careta de un seudónimo: es una transferencia inerte. Por ser puro, no es humano, aunque venga de la desgracia de un suicida. Pero Azorín es dios. Como buen taumaturgo, crea vida de la nada. Elegante de la frase, es la renuncia y el anhelo de su padre, un encantado por los magos que no pudo responder, sino cediendo, al estímulo de la belleza. Azorín no recibe la emotividad de su padre, la transmite. Está maravillosamente adiestrado para suscitar el olor sin percibirlo. Azorín tuvo que destrozar para nacer, y su tarea de escribir consiste en dar participaciones de su propia marginación. Su secreto está ahí: porque no se agita, provoca; porque no se mueve, commeuve; porque no respira, hace alentar; porque es un símbolo, apasiona. Es el catálogo completo de los defectos de su padre elevados a la perfección por la literatura. Y, como su padre, da de sí a un hijo, una escuela, un prototipo. Pero, a diferencia de su padre, los azorinianos no son contingentes: escritores, neuróticos, encantados, inasibles, perfectos, traidores, entrampados, puros, porcelanas, consumados. Orfebres de la literatura y a ella comprometidos. Residen en bibliotecas, se les consulta o permanecen intonsos. Siembran en reducidos espacios acotados por márgenes, a doble o triple distancia del carro de la máquina de escribir. Esto vi y esto me enseñaron, a compartir con el mortal el tiempo de la vida y a producir mentira y verdad con la escritura. La revelación de los magos, el suicidio de las posibilidades, la definitiva aceptación de este destino de renuncia que la literatura conlleva son vehículos determinados hacia un fin moral, y nadie ha inventado todavía nada que no sea la palabra para explicar la escritura.

M. L.
*Ciudad de los Periodistas*
*Madrid*

# MONOLOGO DE CALISTO ANTE LAS PUERTAS DE MELIBEA

(Homenaje a Azorín)

Por

Manuel Mantero

(*La Celestina,* acto XII)
*Y, sin embargo, Calisto, puesta en la mano la mejilla, mira pasar a lo lejos, sobre el cielo azul, las nubes.*

---

*El agua de la fuente cae deshilachada por el tazón de mármol. Al pie de los cipreses se abren las rosas fugaces, blancas, amarillas, bermejas. Un denso aroma de jazmines y magnolias embalsama el aire.*

Azorín ("Las nubes", *Castilla*)

1

¡*Molestas* y *enojosas puertas,*
*fuego os abrase,* fuego de mi fuego,
hirientes puertas como espadas,
calladas puertas como tumbas,
llamas, pavesas que yo pise y pueda
desembocar en el temblor de un cuerpo
frágil, ansioso de mis manos sabias!

2

Por el sueño te busco,
te encuentro,

hombre peludo con tu hacha inútil,
te escupo,
te golpeo contra un dolmen,
te arrastro por tus cuevas primordiales,
tú el desconfiado,
leproso eterno,
tú el inventor ceñudo y sin laurel
de lo más bárbaro:
las puertas.

**3**

Quiero abrazarte y algo
hiela mis dedos.
Desalojas tu carne
en el espejo.
Oh triste sino,
buscarte en los espejos
que yo imagino.

**4**

¿Qué me provoca desde el huerto,
qué olor me incita a un tacto repetido,
jazmín, magnolia, rosa, agua de fuente,
cerco nocturno de su doncellez?
Cipreses veo sobre el blanco muro,
palpo sus sombras llenas de sucesos.

Y yo, solo. Ah cobarde, amante vano,
desgarrón sin remedio, voz partida.
Yo, investigando mi obsesión, sorbiendo
adulto llanto en madrugada urbana.

Monstruos: jazmín, magnolia, rosa, fuente,
no os veo pero sé vuestro incremento,
crecéis, más, más, os convertís en formas
femeninas, cantáis como laúdes,
me empujáis y yo bailo sobre cuerdas,
dudo, me estrello contra el empedrado.
Como un pelele: no merezco un sexo.

**5**

¿Mañana?
¿Qué es *mañana*, un camino,
un aljibe, una araña?

¿Mañana?
No vale el tiempo. El tiempo
no sirve tras las tapias.

¿Mañana?
Nieto ya de mí mismo,
estrenaré cuerpo, alma.

¿Mañana?
Si vieras blanquear a mis cabellos
no dirías: mañana.

Mañana
estrecharé lo duro entre mis brazos,
un esqueleto, un desengaño. Nada.

**6**

Bailemos.
¡Música, españoles!
Amor. Dios salve a las parejas:
Sempronio/Elicia
Pármeno/Areúsa
Pleberio/Alisa,
sirvientes que echan un aliento agrio,
prostitutas portátiles,
nobles de bigotuda heráldica,
bailemos. El mundo gira sobre un 2.
¡Música! Celestina también baila,
el demonio la tienta y muerde, yacen
y se extenúan vagos entre aplausos.

¿Bailas conmigo, Melibea?
soy tu siervo Calisto y estoy solo.
Tú y yo, los solos únicos.
Dame la mano. Baila.
Bajo la luna pareces Venus desnuda.
Tu pubis luce una sortija de oro.

Qué ballet delicado y paralelo.
Un 2 es la armonía, un 2 el ser.
Ayuntemos, gocemos entes que el alba venga
y separe los tallos de las hojas.

**7**

¿Todo vuelve?
No. Nada

transcurre.
Esas nubes, inmóviles.
Como la noche. Oh noche fija,
libérame, hazme ingrávido
y yo burle las tapias obscenas.
Quizá, noche, tú seas Dios, tan plena brillas.
No importa, Dios: he de pactar contigo.
Mi salvación te ofrezco,
firmada,
lacrada de premuras,
a cambio de ese cuerpo al que corona
una mirada emocionada y verde.

**8**

¡Dónde estás, Melibea,
cutis de mayo, colorada boca,
redondos pechos verbeneros,
rubias trenzas ciñéndote los pasos,
dulce voz, terca voz que conturbado escucho
como a la lluvia en la niñez,
mi clara, mi invisible Melibea,
garza sin vuelo,
cierva sin salto,
mi suave, mi intangible Melibea!

**9**

(Tú no te llamas Melibea.
España es tu nombre: te brindas,
a salvo, detrás de las puertas).

**10**

*¡Molestas y enojosas puertas,*
*fuego os abrase,* fuego de mi fuego,
malditas puertas y sus antepasados forestales!

Nadie responde.
Melibea,
¿no hablas? ¿Te soñé?
¿Eran mentira tus palabras?
¿Tu amor
capricho fue de mi cerebro,
ficción de mi bostezo en soledad?
¿Mentira el alto halcón que me condujo a tu hermosura,
mentira el oloroso huerto,
mentira tú?

¿Eran engaño el muro blanco,
las negras puertas?

Paso ahora por donde ellas, las puertas, hubieran sido.
Entro en un ámbito
sin nadie. Ni cipreses.
Ando, mido un espacio desolado.
Sólo oigo el viento frío y a lo lejos
el rumor de una rosa que deshoja
su posibilidad sobre un abismo.

**M. M.**
*University of Georgia*
*Athens, Georgia*

# AZORIN Y LA REALIDAD

Por

Julián Marías

*De la Real Academia Española*

Estamos recordando el centenario del nacimiento de Azorín. Siempre cuesta trabajo asociar el "centenario" a una presencia tan cercana como la suya. Es lo que está sucediendo con muchos de los grandes hombres de la generación del 98, cuya longevidad los ha aproximado al siglo: Azorín, 94 años; Baroja, 84; Menéndez Pidal, 99 y 8 meses; Gómez Moreno, 100 años y 4 meses (entre los dos amigos vivieron dos siglos justos).

Azorín fue muchos años "viejo"; no sólo por su longevidad, sino porque envejeció muy pronto. Creía que para vivir muchos años había que ser viejo bastante temprano. Yo lo conocí en 1942; ahora pienso que no tenía más que 69 años —había nacido el 8 de junio de 1873—, pero ya había entrado en la vejez, se había instalado en las formas vitales de la ancianidad, en las que perduró un cuarto de siglo todavía, hasta 1967. Azorín leía sin descanso —siempre sin gafas, hasta el final—; de repente sacaba un libro de un cajón, o lo tomaba de un estante, o de encima de la mesa, y leía un párrafo, con inocente, maliciosa sonrisa. A veces no estaba clara la conexión entre aquel texto y la conversación; pero solía haber alguna, subterránea, que terminaba por hacerse visible.

Los últimos años de Azorín son particularmente interesantes. Muchos, incluso algunos eruditos y estudiosos, propenden a darlos por nulos y pasarlos por alto. Azorín, después de la guerra civil, escribió muchos libros, algunos extraordinarios: pero además es interesante su figura misma, su readaptación a una España cambiada, su enfrentamiento con una nueva generación afectada por supuestos distintos, su crisis personal, como escritor, frente a lo que había sido su "nuevo" estilo desde 1926, que ahora se había quedado un poco "antiguo", que era sin duda menos auténtico que el de su madurez —1902-1925, entre *La voluntad* y *Doña Inés*—; pero a éste no podía *volver,* porque nunca se vuelve atrás.

Es apasionante el envejecimiento de un escritor, sus esfuerzos por restablecer una continuidad sin "continuismo", sin renuncia, sin dejar de ser quien era, y lo que es más, sin renegar de su generación, dentro de la cual viajaba "como la gota en la nube viajera", según la frase de Ortega; de aquella generación del 98 combatida por todas partes —y que ahora vuelve a serlo por motivos aparentemente opuestos, en el fondo por el elemento común entre los viejos detractores de 1940 y los de 1970. No comprendo cómo este tema no interese hasta el entusiasmo a nadie que se ocupe de literatura y tenga alguna curiosidad por lo humano.

Para "renacer", el Azorín de 1939, vuelto a su España pero a una España que no era la de antes —y, sobre todo, que parecía no serlo—, no tuvo más remedio que "dar marcha atrás", pero justamente como se hace para "tomar carrerilla". Tuvo que *recordar,* volver las cosas al corazón; tuvo que acumular y revivir su pasado —el suyo personal y el de su mundo—, hacer memoria para tomar posesión de su realidad y de la que amenazaba desvanecerse. Este es el sentido de su obra inmediatamente posterior a la guerra: desde los recuerdos próximos de su libro *París* (publicado en 1945), que aseguraban la conexión, la continuidad, hasta las raíces: la adolescencia, la primera juventud, el nacimiento histórico de la generación del 98. Son los dos libros de 1941: *Valencia* y *Madrid,* libros esenciales para comprender a Azorín, para entender qué ha sido, qué es, qué puede ser España.

* * *

En *Valencia,* Azorín hace confidencias relativas a su primera juventud. Cuenta que aprendió solo el francés en Baudelaire y el italiano en Leopardi; que compraba los libros extranjeros en una librería extranjera —la única de la ciudad—, en la calle del poeta Querol. Con ese sentido de "dramatización" que es nervio del estilo de Azorín y clave de su comprensión de los clásicos, escribe: "Siempre me acordaré de esta tiendecita de libros y de su librero. La tienda era angosta, profunda y lóbrega. No había casi libros en los grandes estantes. ¿De qué vivía este librero y qué es lo que vendía? El librero era un hombre ensimismado y taciturno. Si yo compré allí a Leopardi, el espíritu desesperanzado y triste de Leopardi se respiraba en la tiendecilla. Compré esos libros y no me aventuré a entrar más en la tienda. Pasaron unos meses, y un día vi la puerta cerrada. No se abrió más. No se volvió a ver al melancólico librero en la tienda".

Pero lo más importante es lo que Azorín dice a continuación, y que explica como pocos textos su obra entera —y no sólo la suya—. "Con la lectura de los libros extranjeros—dice—aprendí una cosa esencial: la de que toda literatura, sea poema, novela o drama, no puede subsistir si no se apoya en una base auténtica y sólida de realidad. Estudia, artista, la Naturaleza y las cosas. Obsérvalas atentamente, artista, en todos sus pormenores, matices y cambiantes. Recoge en silencio, como la hormiga en su hormiguero recoge su nutrimento, las observaciones pacientes que hayas hecho. Y cuando en tu cerebro, en tu sensibilidad, esté todo depositado, haz lo que quieras. Y haz lo que quieras porque fatalmente, sin que tú te des cuenta, pondrás en tu obra ese cimiento de cosas concretas sin el cual la obra se desmorona."

Azorín reclama la *absorción de relidad.* Sin ella no hay literatura válida, sólo esquemas abstractos. Cuando el artista se ha impregnado de realidad, ha dejado que se acumule y deposite en su alma, no tiene que preocuparse más. *"Haz lo que quieras"*, repite por dos veces Azorín. Haga lo que haga el escritor, esa realidad que ha vivido, absorbido, asimilado, irá a decantarse en su obra, aunque no se lo proponga específicamente. Lo decisivo es que el autor *posea* esa realidad, la haya dejado entrar en su mente, haya nutrido de ella su vida personal. No se trata de ser "realista"; más bien lo contrario; hace muchos años escribí que el "realista" es el que engaña a la realidad. . .con las cosas. La realidad existe en forma de circunstancia y contenido de la vida; la vida está hecha de ella, de su propia sustancia. Por eso encontramos vacías tantas obras escritas "por principios", desde una ideología determinada, sin que en ellas se refleje la ilimitada riqueza y complejidad de lo real. Hay escritores que parecen no haber vivido, no haber estado en ninguna parte, no haber visto nada, no haber escuchado sonidos, no haber percibido olores, no haber sentido el contacto suave o áspero de las cosas, no haberse abandonado a una conversación, no haberse recogido en silencio, dejando que las cosas hagan sonar su voz. Cuando esto ocurre, los escritos resultan superficiales, sin espesor, intercambiables con otro cualquiera, indiferentes.

Los de Azorín, por el contrario, siempre nos llevan algo insustituible: un álamo, un camino, un riachuelo, una yunta que ara despaciosamente, una espadaña donde suena una campana, un locutorio de monjas, una posada donde se ofrece paja suelta y agua fresca, una reja abandonada, una fuente en una plaza, tal vez con los atanores atascados, el jardín de Melibea, el vasar donde posa "sus dulces ojos verdes", un tren que cruza la campiña, una flauta que suena en la noche, la habitación donde murió Don Francisco de Quevedo, todas las tierras, todas las ciudades de España, cruzadas, recorridas palmo a palmo, revividas siglo tras siglo, resucitadas por la contemplación amorosa, por la "abrumadora ternura" que Azorín sentía por los pueblos muertos a los que quería llamar a nueva vida, incorporar a los latidos de la vida real.

Y a continuación de las frases citadas, Azorín descubre un secreto de su oficio de escritor. "En aquel tiempo —dice— comencé yo a llevar en el bolsillo un cuadernito en que iba apuntando los detalles de lo que veía. Así, años más tarde, al prepararme a escribir la primera de mis novelas grandes y tener que describir el despertar de una ciudad, lo primero que hice fue levantarme mucho antes del alba, subir a un cerro, al pie del cual se asentaba la ciudad, e ir anotando, a la luz de una lamparita de bolsillo, todos los pormenores del amanecer, desde momentos antes del alba hasta ya entrada la mañana, pasada la aurora."

La ciudad es Yecla; la novela, *La voluntad,* de 1902. Leed su capítulo primero, y veréis lo que es *una ciudad entrando en escena,* yo diría en estado naciente. Azorín no hace una "descripción" estática, ni un catálogo, ni un inventario. Ni dice lo que "hay" en la ciudad, ni siquiera lo que "se ve" desde el cerro. Va mostrando sonidos, colores, formas, actos humanos, tal como van apareciendo, como van aconteciendo. "A los lejos, una campana toca lenta, pausada, melancólica. El cielo comienza a clarear indeciso. La niebla se extiende en larga pincelada blanca sobre el campo. Y en clamoroso concierto de voces agudas, graves, chirriantes, metálicas, confusas, imperceptibles, sonorosas, todos los gallos de la ciudad dormida cantan. . . El carraspeo persistente de una tos rasga los aires; los golpes espaciados de una maza de esparto resuenan lentos."

Así empieza la presentación de la ciudad. Y va a continuar, con la misma precisión, con idénticas conexiones: "Poco a poco la lechosa claror del horizonte se tiñe en verde pálido. El abigarrado montón de casas va de la oscuridad saliendo lentamente. . . Los gallos cantan pertinazmente; un perro ladra con largo y plañidero ladrido." Y luego: "El cielo, de verdes tintas pasa a encendidas nacaradas tintas. Las herrerías despiertan con su sonoro repiqueteo; cerca, un niño llora; una voz grita colérica. Y sobre el oleaje pardo de los infinitos tejados, paredones, albardillas, chimeneas, frontones, esquinazos, surge majestuosa la blanca mole de la iglesia Nueva, coronada por gigantesca cúpula listada en blancos y azules espirales." Y así continúa, hasta hacer entrar en escena el resto de la ciudad, el cielo —ya azul— arriba, los templos y ermitas, las torrecillas, las chimeneas, los caminos, las canciones, los gritos, el campaneo de tantas distintas campanas. Y luego el mundo humano: hombres, mujeres, niños, en sus quehaceres, en sus oficios, en las tiendas, en las callejas angostas. Siempre con la concreción, con el "detalle sugestivo", evocador, vivo: "Van y vienen por las calles clérigos liados en sus recias bufandas, tosiendo, carraspeando. . . Las perdices, a lo largo de las aceras, picotean en sus jaulas metidas en la arena. Y los canarios, colgados de las jambas, cantan en arpegios rientes."

Así es la obra entera de Azorín: un ensayo de vivificación, un intento de resurrección. La realidad absorbida ávidamente, amorosamente —con amor y sin engaño, esta podría ser la fórmula—. La realidad depositada poco a poco en el alma de Azorín, que vio, recorrió España entera, se detuvo, la reposó, la dejó remansarse, la leyó, la recordó, la evocó, la soñó.

No es otro el sentido de la obra de Cervantes, que se nutre de realidad, castellana, andaluza, manchega; que se deja impregnar por Lepanto, Italia, Argel; por veinte años de alcabalero y requisador de víveres por tierras, caminos y ventas de Andalucía. Y al final pone todo eso, toda esa realidad con la cual había hecho su vida, en el Quijote.

"Ama y haz lo que quieras", decía San Augustín. Mira, escucha, atiende, espera, vive, recuerda, imagina —dice Azorín— y haz lo que quieras; porque la literatura consiste en expresar la realidad; en poner la realidad vivida en palabras, de suerte que pueda ser comunicada, compartida; que pueda revivir en otros hombres. Y así, al mismo tiempo, salvarse y hacerlos vivir.

J. M.
*Indiana University*
*Bloomington, Indiana*

# Sobre Azorin, Con Dificultades

Por

Felipe Mellizo

Yo no he entendido nunca bien qué era eso de la "Generación del 98", seguramente porque suelo entender bien muy pocas cosas y, especialmente, las etiquetas retóricas. Pero aprendí en la escuela lo necesario: ese manojo de palabras que califican, con tanta urgencia como impudicia, a la literatura y los modos culturales de mi patria en los últimos años del siglo XIX y los primeros del XX.

Por lo tanto, sé decir "desconsuelo", "pesimismo", "paisaje". Sé dcir "Costa", "Unamuno", "precursor" y "tardío". Sé decir "Ortega", y los adjetivos adecuados al caso. Sé decir "pueblo". Sé decir "krausista". Sé decir también "Azorín" y, por ende, —también sé decir "por ende"—, escribo "columbrar", "escondrijo", "pastizuelo" y "umbrío". Si me apuran, sueño, más despierto que dormido, con muchachas que se llaman Aurelia o Carmen, finas y cobrizas, tal vez con una cinta blanca recogiendo su cabello, que tocan sonatas de Chopin en un pianito decoroso, en una sala fresca, en una casa grande, en un pueblo blanco y ocre, en un páramo.

Soy, pues, un feligrés más entre los muchos que rinden homenaje, éste año y todos los años, al escritor Azorín. Se trata casi siempre de un homenaje superficial y tópico. Excesivamente cursi y dogmático como todos los homenajes, y demasiadas veces expresado en el propio lenguaje de Azorín, insufrible cuando no es Azorín el que lo usa. Todo eso de la "serena placidez", el "suave guijarro" y el "largo horizonte", junto con la glosa correspondiente, ha pasado a mejor vida y yo diría que ese

Azorín inventado y glorificado por sus beatos necesita ser "desmitificado", si no fuese porque "desmitificar" es, en el fondo, una grosería. Ortega —héle aquí—, tratando de "desmitificar" a Goethe, pedía a los alemanes desde las páginas del *Neue Rundschau* que se pusieran dentro de Goethe, pero no para suplantarle, sino para entrar en *el círculo mágico de esa existencia para asistir al tremendo acontecimiento objetivo que fue esa vida.* También Azorín debiera ser visto desde dentro, vívidamente, y no, Dios bendito, siempre desde la grada, como se ve a una estatua laureada que, ante las oraciones de los idólatras, musita entrecortadamente las palabras rituales, "lejano alcor", "ancho azarbe", "campanitas del convento".

* * *

Seguramente los dioses ponen en mis manos, mientras azorineo con dificultades, aquel trémulo escrito de Huxley, *Las puertas de la percepción.* Interesante coincidencia, en verdad, pues apenas si es posible imaginar la presencia compartida en el mundo de dos escritores y dos hombres tan dispares como Huxley y Azorín. Pero he aquí que el inglés, en su ocaso californiano, escribía: *Cada individuo se convierte en seguida en el beneficiario y la víctima de la tradición linguística en que ha nacido; es beneficiario en cuanto el lenguaje procura acceso a las acumulados constancias de la experiencia ajena, y víctima en cuanto le confirma en la creencia de que ese reducido conocimiento es el único conocimiento y en cuanto deja hechizado su sentido de la realidad, en forma que cada cual se inclina demasiado a tomar sus conceptos por datos y sus palabras por cosas reales.*

Beneficiario y víctima de la tradición lingüística en que había nacido podrían ser palabras bastantes para definir suficientemente a Azorín. Eso fue, sin duda, y aún cabría añadir que fue beneficiario y víctima, también, de la tradición lingüística iniciada por él.

Para empezar, sería necesario discurrir en torno a ese nombre, Azorín. Con la probable, y urgente, excepción de Fernán Caballero, ningún pseudónimo español ha sido tan implacable en la anulación del nombre personal que intentaba ocultar. Don José Martínez Ruiz fue un caballero nacido en Monóvar, que estudió en Yecla, en Valencia y en Madrid, que se metió, tímidamente, en política y que despareció un buen día de este mundo, sin dejar rastro. Apenas si sus propios allegados supieron algo de él. Vivió y murió misteriosamente, después de haber sido perseguido, sin misericordia, por varios pseudónimos. Murió por uno de ellos, Azorín, ese Azorín, no menos misterioso, del que los españoles de las dos últimas generaciones no sabemos tampoco mucho, salvo que se trataba de un anciano, flaco, cortés, silencioso y solitario. A veces, iba al cine, el templo de la soledad, como decía Koestler.

Apenas si salió de España y, cuando lo hizo, con el cuerpo o con la cabeza, sus *razzias* fueron extravagantes: exilios franceses como paréntesis frigoríficos o lecturas inglesas tan delicadas como desordenadas. Azorín, víctima de su lengua y de su tierra, se empequeñeció, voluntariamente al principio; luego, esa pequeñez, convertida en luz, ya no fue voluntaria. Azorín fue como un pequeño pedazo de silencio al sol y, cuando uno quiere imaginarlo profundamente, lo que salta dentro de la cabeza es la mismísima estampa de su criatura: la calle estrecha, quieta, de un pueblo de la llanura mesetera, blanco, callado. Esa imagen, con la cabeza del delgado caballero flotando, posiblemente, en el azul espacio del fondo, parece un cuadro de Magritte y, al esforzarme yo por interpretar esta súbita idea plástica, me dí cuenta de que Azorín, al contrario de lo que me decía mi profesor de Literatura y me dicen unos cuantos pedantes, era un surrealista.

Decíamos que don José Martínez Ruiz se metió, tímidamente, en política. Azorín, no. Azorín no vivía comprometido con nuestro mundo. Observaba desde las esquinas el balcón de Melibea, o el paso, largo, de la rítmica azada sobre los surcos. Mundo pequeño, el suyo: no más de medio millión de kilómetros cuadrados, entre Tarifa y los Pirineos, un predio chico que Azorín recorrió con la morosa voluptuosidad con que se recorre la casa de uno, en esas mañanas lluviosas de los días de fiesta. Azorín vivía comprometido, sólamente, con ese mundo suyo. Y con ese tiempo suyo. Porque en sus incompartidas y en cierto modo aterradoras coordenadas, eso que nosotros llamamos "tiempo" era cosa bien distinta: una esfera transparente y fantasmal, en la que podía verse a Gonzalo de Berceo tropezando con Calixto en una calle de la judería toledana, o al propio Azorín, sentado junto al camino, viendo pasar a los comuneros camino de Villalar. No había otro "tiempo" azoriniano. Ante sus ojos, el espectáculo era eterno y, por tanto, inmóvil: el paisaje y la palabra. No más.

Esa inmovilidad le dio acceso a *las acumuladas constancias de la experiencia ajena,* que dice Huxley. Porque, quieto todo, lo que Azorín tuvo ante sus ojos fue la Historia toda de nuestra luz: algo así como el esqueleto permanente, inalterable, de ese corpachón cultural tan cambiante, tan rimbombante, tan irritante que algunos, para no perder precisamente el tiempo, llamamos España. El pueblo aquel se venía preparando para la fiesta desde hacía siglos. El trueno lejano que anunciaba el desastre de la corrida de toros nunca había cesado de retumbar tras la seca montaña de siempre. Las muchachas no han dejado jamás de ponerse flores en el pelo, mientras los caballos esperaban, eternamente, a la puerta. Lo que Azorín veía era tan cierto, que asustaba y asusta cuando uno es capaz de acercarse a Azorín sin fiarse del tópico: una laaaaarga taaaarde deee fieeeestaaaaa. A veces cruzan el ancho campo soldados de hierro, o carretas de altas ruedas, cargadas de heno. Pero no suena nada, nada, nada. Parece como si, a fuerza de ver España, Azorín estuviese sumido en un extraño sueño, un sueño mudo, sin estampidos, sin gritos, sin chasquido de látigo, sin sollozos.

Pero claro que esa zambullida surrealista era un beneficio. Esa experiencia ajena acumulada y detenida ante Azorín no le ofrecía el testimonio del pasado, sino del *tiempo todo.* Algo así dicen los teólogos que le ocurre a Dios: que tiene evidencia de TODO el tiempo en un súbito y actual instante. Azorín tuvo ese privilegio. Abrió los ojos y, de pronto, la cosa —España estuvo entera ante ellos, desde que el latín empezó a descomponerse, partenogenéticamente, en sus romances, hasta que, muchos años después de muerto el propio Azorín, unos individuos llamados don Pascual, don Fulgencio, don Andrés y Rafael, encuentran escrito el raro pseudónimo en la primera página de un añejo ejemplar de *Les Caractéres* de La Bruyère.

Claro que era un beneficio esa superación visual del tiempo. Esa inexistencia de fronteras temporales permitía al escritor el entendimiento completo de la aventura de su lengua y de su paisaje, conocer, "de visu", el *karma* colectivo de su pueblo. Ortega calificaba estos milagros sin tiempo de "primores de lo vulgar", pero ya se ve que no se trataba de primores sino, exactamente, de "vulgaridades de lo esencial" y, por tanto, de horrores. Eso que Azorín veía era el drama, nuestro drama, el drama de las gentes de aquí, de España, y de las gentes que hablan español. Lo que Azorín descubría era que, cuando todo lo demás se hunde, el botijo permanece. Las *acumuladas constancias de la experiencia ajena* son un botijo, o una tarde limpia, plácida, fresca.

Eso engendra la melancolía. El Azorín anciano que pasea, solo, por las calles de Madrid, hierático el rostro, seco, como entristecido, el porte, es un hombre al que la melancólica e irónica historia de su lengua y su paisaje ha consumido. He aquí que la dulce Melibea engordó, casó y tuvo hijos y hacienda. He aquí que la hija de don Hernando Salazar, novia de Miguel de Cervantes, sirve al huésped Azorín una copita de vino de Esquivias y unas pastas hogareñas, en una bandejita. He aquí que los pasillos estaban silenciosos. Que están silenciosos. Que estarán silenciosos. He aquí que sonaba, suena, sonará una tos lejana, repentina, pertinaz.

Son demasiadas cosas pavorosas para un hombre solo como Azorín. Es tremendo eso de cargar con la larga experiencia, grande y menuda, de todos nosotros, los españoles, para poder llegar a la vejez sin melancolía y sin conciencia de haber sido esclavo, notario y actor de la aventura de los otros. Azorín no tenía tiempo, y la superación del tiempo es una tragedia porque, como decía aquel Pedro, llamado Hispano, el tiempo es causa de la corrupción, y la corrupción es la gloria culminante de la biología y, por tanto, la feliz consumación de cuanto está escrito. Pero suspender el tiempo, como Azorín hizo, le pone a uno el gañote hecho un nudo: la corrida no comenzará nunca, Sarrió se alejará, lentamente, perdidamente, por la calle, sin que podamos decirle la última palabra jamás; nunca dejará la plaza de ser sosegada, ni de tener sombras gratas y azules, ni torres achatadas, ni balcones cerrados. Cuando los trigos de Esquivias estén altos, a ellos irán los enamorados y, al atardecer, el Mayorazgo se acercará al trigal para escuchar, el muy rijoso, los susurros y para ver muchas y grandes cosas.

¿Es así todo? ¿Ese mundo azoriniano era, es, será el nuestro? El escritor Azorín vivió su mundo de imágenes acrónicas con tal intensidad que, uno por uno, millones de españoles hemos venido siendo turbados por la tentación de hacer lo mismo. Nunca hubo escritor, en nuestra lengua, que tan poderosa y decididamente se empeñara en decirnos el secreto, invisible para todos los demás. Hechizó nuestro sentido de la realidad y el suyo propio, a fuerza de querer darnos ese sentido.

A lo mejor es eso lo que pretenden conseguir todos los escritores de raza, llevándonos al mundo de las cosas inefables, que, por ser íntimamente ciertas, son irreales. Pero Azorín hizo bastante más que eso. No sólo modificó sustancialmente la manera de ver el mundo de lo español, sino que transformó el instrumental con el que, entonces, nos era posible acercarnos a ese mundo: se hizo y nos hizo un lenguaje. Y ese lenguaje era apto para llegar a un conocimiento delicado de la realidad, un conocimiento fino, hondo, sutil, pero sólo ESE conocimiento. El lenguaje azoriniano es como una llave formidable, capaz de abrir un formidable arcón que ninguna otra llave puede abrir. Pero también es una llave inacapaz de abrir otros arcones. Azorín ha sido, así, el sumo sacerdote de un rito misterioso al que sólo unos pocos tienen acceso. Sólo esos pocos conocen el conjuro, el ceremonial, el sésamo omnipotente que abre las puertas de la piedra. Pero, junto a esos pocos, están los profesionales del culto, que nada entienden, aunque todo lo simulan. Las letras españolas han padecido la sarna de los azorinianos y todavía la padecen, aunque ya limitada a unos reductos tan oficiales como incompetentes. Azorín mismo vivió realmente en la irrealidad, en un magnífico estallido de luz blanquísima. Pero estas gentecillas que lo han venido imitando y glorificando, no viven realmente en ninguna parte. Otros escritores españoles han nacido, nacen, nacerán: todos aquellos capaces de inclinarse un instante ante el misterio de las llanuras quietas, sin tiempo, del viejo maestro, e incluso de temblar brevemente. Para alejarse luego. Para alejarse del todo. Para alejarse definitivamente.

F. M.
*Los Negrales*
(*Madrid*)

# FORM AND CONTENT IN AZORIN'S SHORT STORY

By

Mirella d'Ambrosio Servodidio

A careful appraisal of Azorín's work indicates that the short story genre is singularly suited to his talents. As suggested by Salvador de Madariaga,[1] Azorín suffers from a natural shortness of breath which prevents him from attempting long literary excursions. Although he does write sixteen novels, they are held in check and are reduced in scope and dimension. Yet, despite this deliberate adjustment of proportion to artistic conception, Azorín's novels tend to be weakened by an inability to give an integrated picture of life, or to coordinate the variety of characters, impressions and nuances which they accumulate. They are merely a series of pictures, vivid and disconnected, and at most linked by a vague plot. Within the smaller framework of the story, Azorín does not encounter these stumbling blocks.

By his own admission, Azorín has written more than four hundred short stories,[2] and he has been singled out by responsible critics as an "exceptional cultivator"[3] of the story, a "consummate master of the genre"[4] and the "best short story writer of the twentieth century."[5] He has even been compared to Chekhov and Katherine Mansfield in the preference he shares with them for the intranscendental and the vulgar.[6]

Like many other members of the generation of '98, Azorín was formed in the journalistic circles of the late nineteenth and early twentieth century Spain. It is here that he acquired a taste for both the essay form and the brief narrative. The upsurge of periodicals, newspapers, reviews and annuals such as the *Seminario Pintoresco Español, Blanco y Negro, El Impar-*

*cial, El Liberal* and *El Cuento Semanal* was of fundamental importance to the popularizing of the short story genre as well. They provided a show case for young writers like Azorín who learned to whittle and prune their pieces to meet the limitations of space imposed by the periodicals. The transition from "article" to "story" was easily made by most. Azorín's awareness of this interrelationship is made clear in the prologue to *Cavilar y Contar*: "El cuento es una cosa moderna; nace con el periódico; la necesidad de constreñir la narración a una o a dos columnas hace que surja el cuento, narración abreviada."[7] Most of Azorín's stories were thus originally written for newspaper publication, and only later were they gathered into individual collections.[8]

The modern short story was to prove an ideal vehicle of expression for Azorín. Unlike the story of the nineteenth century whose prime purpose, as defined by Edgar Allan Poe in his review of Hawthorne's *Twice Told Tales,* was to sparkle, impress and dazzle, the best stories of the twentieth century fill a spiritual need and impart a feeling of reality that has never before been so closely attained. In them, the least essential element of all is the plot itself, and for this reason they are at their best when they are brief. Unlike the O'Henry type "yarns", they are apt to leave things in the air at the end, so that the reader must answer for himself any questions he has to ask. They fight shy of the dramatic or the unexpected.[9] Greater value is attributed to the minute, the seemingly insignificant. The gray moments typifying life are sought out in preference to the dynamic moments dramatizing it. For unless a story makes a subtle comment on human nature, on the permanent relationship between people, on their variety, their expectedness or unexpectedness, it is not a short story in any modern sense. With its greater analytic spirit and more refined sensibilities, the modern story is often an art of nuances, sharing this in common with poetry.

By reason of temperament, as well as deliberate choice, Azorín is highly equipped to excel in this genre. In his philosophy of life, "lo pequeño. . .es lo verdaderamente grande y transcendental. Para Azorín la vida es una dilatada y compleja trama de sucesos pequeños, nimiedades y futilidades."[10] Azorín is of an analytic nature with a propensity for dissection rather than for synthesis. In his scrutiny of reality, his eyes rest on objects one by one, situating and defining them with individual care. This explains in part why it is "La sensación aislada" in Góngora's poetry that wins his admiration, or that in El Greco's paintings it is the effect of "los colores distintos y desunidos" that he signals out for our attention.[11] In these great masters he sees reflected the image of his own art. When his writing is considered in its totality, it becomes apparent that at bottom, the only kind of work Azorín has produced is the isolated fragment or short sketch which is the unit of his art.

A survey of Azorín's stories indicates that they may be placed within three general categories: those which conform to the conventional story mold, those that closely resemble the essay form, and finally, the many vignettes, silhouettes, or profiles. Content and form are found to complement one another.

The first of these groups is comprised of stories which have recognizable "plots" or plans of action. In them, a series of events closely related by cause and effect leads to a definite and logical outcome. Most of the stories hinge on a "significant incident"—significant of some aspect of human relations or life. Azorín has formed his image of life and in such incidents he will find a corroboration. The incident is more important to the story teller than to the story. In theory, any incident will do for the story; but only certain ones will do for Azorín. We see why when we read his work in bulk and begin to perceive that certain like incidents have appealed to him, at which point his literary personality begins to emerge coherently in terms of a favorite subject or type.

Often the significant incident is clearcut and obvious, and its effects clearly gauged. Thus, in "El capitalista sin remedio"[12] the turning point for the central character is his coming to possess a sum of money which alters the course of his life. In "El primer milagro"[13] the vision of the three kings and the Christ child is the significant incident which results in the transformation of the protagonists' character, and in "El espejo"[14] it is the overt act of murder which sets the forces of the story in motion.

However, Azorín's favorite incidents are generally less spectacular, and may be as simple as a visit back home. Indeed, in innumerable stories the return of an ageing protagonist to his childhood haunts provides the central fiber of the story which is built on linking a series of thoughts rather than events. Also, incidents which in the hands of another writer might be fully exploited dramatically are often minimized by Azorín. For example, in "El fantasma de Villena"[15] the author's interest lies less with the reflection of a ghost in the mirror than with the psychological aspects of public reaction. Thus the story becomes thought-provoking rather than dramatic. Generally, the stories in this category produce a single narrative effect with the greatest economy of means possible.

The second group contains stories which transport us brusquely from the world of the imagination to that of ideas. The fictional or anecdotal fiber of these stories is weak or missing, and emphasis is on exposition and development of idea. In their individual parts or in their total conception they closely resemble the essay form. They concern themselves principally with questions of art and literature and are characterized by a complete dirth of action or character development. Thoughts are either expressed by the narrator in the first person, or by several characters in the form of dialogue. Many stories in this category may be called "hybrids" in that they are half fiction and half essay. This generally proves to be an unfortunate combination with one part hampering the other. A story such as "Don Quijote vencido"[16] for example, is visibly divided in half with the first part an essayistic assessment of La Mancha, and the second an imaginary evocation of character. Therefore, the author is at his best in this vein when all the fictional pretenses are dispensed with entirely as in "La aventura de Corot"[17] a scholarly analysis of the painter and the man. Here and in other stories of its type, Azorín attains a high level of interest from the point of view of intellectual content and lucid exposition.

A third group is comprised of suggestive vignettes that convey a mood or sketch a type. They are stories in which nothing "happens" and in which no crescendo or climax is reached. Since they lack an outline of action holding up the framework of plot, they can be termed invertebrate fiction. Yet, the absence of dynamism is amply compensated for by accelerated mental, psychic or poetic activity. They conform to the type of story that "el cuentista forja con una minucia" alluded to by Azorín in his prologue to *Cuentos*.[18]

Moods of landscape or of the individual may be reflected in these stories. "La casa cerrada" for example, is based entirely on embroidery of the geographical and spiritual differences between La Mancha and Levante. Sometimes these silhouettes evoke in a poetic manner well-known literary figures such as Segismundo, Sancho or Tomás Rodaja. Yet, Azorín also involves himself with humble souls who represent the common denominator. In "Un español, si gustáis" the central character is allowed to go unnamed, thereby underlining his representative value. Although occasionally Azorín looks more deeply into temperament and motivation, the majority of vignettes are one-dimensional and merely hint at character or type. At times, several sketches are linked together and are unified by an overall theme, as is the case with "Eposodios históricos." Generally, it is in these poetic and gently whimsical stories, with their penetrating insight into human nature, that Azorín comes closest to expressing his true artistic temperament.

Once story categories are established, the ancillary question of frequency of cultivation and distribution of divergent story types can be profitably raised. While representative samples of all categories may be found in most of Azorín's collections, significant differences in concentration and distribution of story types do emerge. These differences reflect the conscious adjustment of form to content in a process of growth which can be plotted chronologically, philosophically and stylistically. With the exception of the years ranging from 1902 to 1925, when the short story is conspicuous for its absence, Azorín's story collections fall within the broad periods assigned to his work by critics.[19] They clearly illustrate, therefore, the alignment of the writer's changing ideological attitudes with the evolution and crystallization of a highly individual literary style.

Thus, *Bohemia,* Azorín's first collection of stories, published in 1897, documents the young writer's experimentation with divergent ideas and techniques at a time of his life characterized by intellectual restlessness and keen dissatisfaction with Restoration Spain. Unlike the serene reconciliation with tradition effected by him in his later years, the stories of *Bohemia* reveal Azorín's uncompromising conviction that social conventions and norms found wanting should be swept away. The stylistic and thematic strategy of *Bohemia,* used in support of these beliefs, is to startle and jolt the reader from his apathy into a fresh consideration of alternatives to individual and social problems. In keeping with this objective, the stories, which fall in group one, are markedly dramatic and sensational in tone, and tend to hinge on surprise denouements uncommon in later works. In subsequent years, the gradual tempering of youthful iconoclasm is accompanied by a mellowing of style which rejects the shock value of these early stories. Nevertheless, *Bohemia* impresses the reader with a strength and vibrancy especially suited to the strong positions being advanced by the writer at this time.

The next major collection of stories, *Blanco en azul,* published in 1929, is representative of the period of Azorín's work classified by Capilla Beltrán as the "sección de superrealismo"[20] reflecting in mood, theme and style the writer's affinity with this school already expressed by him in 1924 in the article "Superrealismo."[21] In the body of this article, Azorín expounds on the particular meaning the word "superrealismo" has for him: "Tomo la palabra superrealismo tanto en el concepto francés. . .de soltura do lo subconciente. . .como en el concepto más lógico y directo de una realidad que está sobre la aparente y terrena."

This two-pronged interpretation finds full expression in the stories of *Blanco en azul*: on the one hand the growing realization, heightened by the disclosures of Freud and Jung, that the tapping of subconscious forces constitutes an invaluable artistic resource; on the other hand a fascination with the supernatural, the mysterious and the marvelous, characterized by Llinás Vilanova as "un deseo de reintegrar el arte a las regiones de lo mágico."[22] Thus, the intense national preoccupation of the preceding years moves from the forefront yielding primacy, instead, to other concerns. Questions regarding subconscious and mysterious forces, destiny, reality, time and space emerge as principal themes in association of thought with the mutable clouds suggested by the book's title. As he abstracts himself from immediate considerations of *hunc et nunc,* Azorín, in Manuel Granell's words, "mira la representación del mundo en su conciencia."[23] The desire to free and mobilize subterranean forces is buttressed by the use of spatial and temporal dislocations, free association of ideas in inchoate and disconnected patterns, supression of transitions—all effecting a stream of consciousness "automatism." Still other stories suggest the appropriation of cinema techniques in the skillful use they make of lighting, planes and angles. Always, the stories of this collection, highly concentrated in category one, reflect Azorín's explicit commitment to "hacer algo en contra de las normas tradicionales."[24] Both from a point of view of form and content, then, *Blanco en azul* presents an important link in an undiminished process of artistic growth.

Azorín's fourth and final period, initiated during his voluntary exile to Paris in 1936, is especially interesting for the richness and abundance of the short story as we see it in such collections as *Españoles en París,* 1939; *Pensando en España,* 1940; *Sintiendo a España,* 1942; *Cavilar y contar,* 1942; *Contingencias en América,* 1945; *Memorias inmemoriales,* 1946; and *Cuentos,* 1956.

The three years spent in Paris during the Spanish Civil War have a profound impact on both the man and the writer. The stories produced at this time are markedly autobiographical in tone, offering abundant testimony to Azorín's apprehensions which are exacerbated by frail health, poor finances, dislocation and nostalgia for his homeland. *Españoles en París* is the volume that provides the closest treatment of the war and records the personal repercussions redounding to Azorín and to his characters. Yet, as suggested by their titles, *Pensando en España* and *Sintiendo a España* also reflect the heightened love of fatherland experienced by the emigré which takes shape, here, in evocations of Spain's cultural and historical past. Thus, while in these two volumes allusions to Spanish "refugiados" and to Parisian landmarks are not uncommon, the look is principally backward in time as the search for Spain's eternal tradition goes on, intensified by absence and maturity. The change in focus is accompanied in these collections by a concomitant increase of stories falling in categories two and three and which are characterized by the adoption of a more deliberate and scholarly pace, by careful development of theme and setting, and by an absence of theatrical artifice or effect. Moods are spun through subtle evocation and attention to significant detail. Through his characters the author expresses a growing desire to penetrate ideal essences. The protagonist of "Homero en el Louvre" for example, gives voice to these yearnings and shows how they modify literary taste: "Poco a poco, a lo largo de los años, de las literaturas he ido conservando lo esencial. Desechaba lo accidental y procuraba quedarme en el meollo".[25]

*Contingencias en América* is the last of the series of books produced in the years of exile. Initiated as a series of articles for *La Prensa* of Buenos Aires,[26] the seven stories are not collected as a volume until 1945. They are geared toward Azorín's American reading public and deal exclusively with Latin American figures who offer the author a pretext for literary and fantastic divagations. The major focus is literary and historic; the treatment is capricious as the author reserves the right to take liberties with the "contingencies" of reality. In this slight book, as in the previous two volumes, the tone adopted is often markedly didactic, and plots in a conventional sense are non-existent.

*Cavilar y contar* (1942) represents a complete departure from the exile collections, bearing instead a striking resemblance to *Blanco en azul* in its common desire, as expressed in the prologue, to "penetrar un mundo misterioso"[27] and to reflect on questions of destiny, reality and the supernatural. The emphasis on stories of idea, and the strongly "castizo" note of the earlier works of this period are missing. Instead, elements of mystery, surprise and wit abound with more hinging on the anecdotal and on outcome. This reversion to earlier story types becomes readily understandable when seen in the context of probable chronology. The date of publication notwithstanding (1942), the style and content of the stories comprising this volume suggest they were written contemporaneously with those of *Blanco en azul,* thereby reflecting the interests and objectives of that period alone. Thus, the impression created of a zigzagging artistic trajectory by the unadorned fact of date of publication, must be rejected as false.

Indeed, the twenty-four stories contained in *Memorias inmemoriales*[28] (1946) establish a link with the previous collections of period four, thereby clearly demonstrating sustained commitment on the part of the writer to clearly understood goals. From the whole of life's experiences, mirrored in large measure in his stories, Azorín succeeds in arriving at a full understanding of self and of the permanent values and precepts that guide him. As cogently stated by Manuel Granell, "Posee como nadie el porqué de su hacer, sabe su finalidad y los medios para lograrlo."[29] The prevailing principle of his art as he now comes fully to understand it is to "hacer valer un mínimum de realidad creando en su torno un ambiente especial."[30] For the genre in question in this study it means a rejection, grosso modo, of action stories built on recognizable plots, already noted in earlier collections of the period. This position is clearly articulated by Mr. X in *Memorias inmemoriales*: "Tenía un horror al ensamblamiento conocido de episodios y lances. Había una médula en la vida independiente de la acción y era preciso extraerla. Si se llegaba a lo de dentro ¿para qué se quería lo de fuera?"[31] In this more static art, the absence of action is counterbalanced by heightened mental activity and the startling is forfeited for a deeper verisimilitude. The explicit intent to arrive at "lo de dentro" is best served in *Memorias inmemoriales* by the many psychological profiles or silhouettes which clearly conform to category three.

While the last phase of Azorín's writing is well represented in *Cuentos* (1956), the writer's final collection, stories dating from earlier periods are also included resulting in a potpourri of themes, style and character. This very variety, however, affords the reader the opportunity to savour Azorín's complete mastery of the genre in its infinite variety, and to graph his artistic trajectory in capsule form. Yet, despite the range of this volume, it is the imprint of the mature Azorín that makes itself most keenly felt. In the distilled and highly selective art of Azorín's final period, as reflected in this volume in the preponderance of stories in categories two and three, "es indudable que nos hallamos más cerca de las esencias de las cosas y que nuestra mirada ha llegado, por fin, hasta la misma fuerza y voluntad universal."[32]

When viewed in the light of the remarkable span of fifty years separating Azorín's first collection of stories from his last, whatever changes the genre reflects must be seen as a natural part of an unbroken process of artistic growth and maturation. More significant, perhaps is the discovery and awareness of certain constants of style which involve the accents of the author's mind as much as the shape of the stories or what they say. Early along the way Azorín perceives that, for him, situation is more fructive than anecdote. In his view, the strength of simple subject matter lies in that the surprise a story gives (usually a modest one when it occurs) comes not from complex contrivance but from the complexity of human nature which it innocently reveals. There is still adventure in Azorín's stories, but now its is adventure of the mind. There often is suspense, but it is less nervous than emotional or intellectual. For, as a modern story teller, though Azorín has not dispensed entirely with incident, or anecdote, or plot and all their concomitants, he has changed their nature and has brought to the genre the mark of his own special genius. Despite varying story collections and individual story differences, the minute observation of people and things, clarity, selectivity, sensitivity are ever-present characteristics of Azorín's style. When studied in depth it becomes apparent that the brief narration of the short story is the literary format that best lends itself to the finesse of art, the painstaking masterly completion of detail in which Azorín excels.

M. S.
*Barnard College*
*Columbia University, New York*

## *Notes*

1. Salvador de Madariaga, *The Genius of Spain,* (Oxford: Clarendon Press, 1923), p. 157.
2. Azorín, *Cuentos,* (Madrid: Afrodisio Aguado, 1955), Prologue, p. 12 "Llevo escritos más de cuatrocientos cuentos; el hábito facilita la gestación."
3. Enrique Sordo, "Los cuentos de Azorín," *Revista,* V (1956).
4. Manuel Granell, *Estética de Azorín,* (Madrid: Biblioteca Nueva, 1949), p. 118.
5. Pilar de Madariaga, *Las novelas de Azorín; estudio de sus técnicas,* (Thesis, Middlebury College, 1958), p. ii.
6. Sordo, op. cit.
7. Azorín, *Cavilar y contar,* Prologue, *Obras completas,* VI, 408.
8. Covering a wide chronological range, Azorín's principal short story collections are *Bohemia* (1897), *Blanco en azul* (1929), *Españoles en París* (1939), *Pensando en España* (1940), *Sintiendo a España* (1942), *Cavilar y contar* (1942), *Contingencias en América* (1945), *Memorias inmemoriales* (1946), *Cuentos* (1956).
9. As suggested by Mariano Baquero Goyanes in *El cuento español en el siglo XIX* (Madrid, 1949), p. 179; "El cuento moderno, siguiendo la evolución de la novela, tiende a la evocación descriptiva o dramática, a la condensación en una o pocas escenas que sorprenden un momento de la vida a diferencia del cuento antiguo que adoptaba la forma estrictamente narrativa."
10. Cesar Barja, *Libros y autores contemporáneos* (New York: Stechert and Co., 1935), p. 296.
11. Azorín, *Madrid, OC,* VI, 285-286.
12. Azorín, *Cuentos,* pp. 205-208.
13. Azorín, *Blanco en azul, OC,* V, 299-306.
14. Azorín, *Cavilar y contar, OC,* VI, 409-413.
15. Azorín, *Memorias inmemoriales,* (Madrid: Biblioteca Nueva, 1946) pp. 236-239.
16. Azorín, *Sintiendo a España, OC,* VI, 756-761.
17. Azorín, *Españoles en París, OC,* V, 845-849.
18. Azorín, *Cuentos,* Prologue, p. 13.
19. Critics are in agreement that Azorín's work may be divided into the following periods: 1893-1901; 1902-1925; 1936-1967.
20. This classification appears in José Capilla Beltrán's prologue to Montoro Sanchís' "¿Cómo es Azorín?".
21. Azorín, "Superrealismo," *Revista de Occidente,* Vol. XXVI (Madrid, 1924).
22. Llinás Vilanova, "El teatro de Azorín," *Brújula,* No. I (San Juan, 1935).
23. Granell, op. cit., p. 123.
24. Azorín, *Félix Vargas, OC,* V, 42.
25. Azorín, "Homero en el Louvre" *Españoles en París, OC,* V, 849.
26. Azorín finances his years in Paris by working as a correspondent for La Prensa of Buenos Aires. In addition to *Contingencias en América,* the stories of *Pensando en España* and *Sintiendo a España* were also originally written for this paper and, only later, were gathered and published as story collections.
27. Azorín, *Cavilar y contar,* Prologue, *OC,* VI, 408.

28. Together with *Valencia, Madrid,* and *París, Memorias inmemoriales* forms a quartette of memoirs. However, twenty-four of the chapters are comprised of independent "relatos" or stories.
29. Granell, op. cit., p. 10.
30. Azorín, *Memorias inmemoriales,* p. 236.
31. Azorín, Ibid., p. 20.
32. Azorín, "Las fiestas en el campo," Cuentos, p. 235.